Nanette Blitz Konig

EU SOBREVIVI AO HOLOCAUSTO

O comovente relato de uma das
últimas amigas vivas de Anne Frank

Grupo Editorial
UNIVERSO DOS LIVROS

Diretor editorial: **Luis Matos**
Editora-chefe: **Marcia Batista**
Assistentes editoriais: **Aline Graça, Letícia Nakamura e Rodolfo Santana**
Preparação: **Nina Soares**
Revisão: **Mariane Genaro e Nestor Turano Jr.**
Arte: **Francine C. Silva e Valdinei Gomes**
Capa: **Valdinei Gomes**
Foto de capa: **Shutterstock - Huang Zheng**

Dados Internacionais de Catalogação na Publicação (CIP)
Angélica Ilacqua CRB-8/7057

K85e

Konig, Nanette Blitz
Eu sobrevivi ao Holocausto / Nanette Blitz Konig. -- São Paulo : Universo dos Livros.
176 p.

ISBN: 978-85-7930-876-5

1. Sobreviventes do Holocausto Konig, Nanette Blitz – biografia 2. Crianças judias no holocausto - Narrativas pessoais 3. Holocausto judeu 4. Guerra Mundial, 1939-1945 I. Título

15-0708 CDD 940.5318092

Universo dos Livros Editora Ltda.
Rua do Bosque, 1589 – Bloco 2 – Conj. 603/606
CEP 01136-001 – Barra Funda – São Paulo/SP
Telefone/Fax: (11) 3392-3336
www.universodoslivros.com.br
e-mail: editor@universodoslivros.com.br
Siga-nos no Twitter: @univdoslivros

Este livro eu dedico aos meus queridos pais, Martijn
Willem e Helene: a vocês eu devo a vida e todo amor
que recebi, amor que posso sentir até hoje.

SUMÁRIO

INTRODUÇÃO

Infelizmente, não existe o botão "delete" na minha mente. Gostaria de poder apagar o que vi e vivi e, especialmente, a sensação de sofrimento. Esse sofrimento não estava só dentro de mim, estava fora. Eu respirava o sofrimento, ele fazia parte do meu mundo. Mas aí, penso: de que me adiantaria esquecer? O que ganharia com isso? Paz? Talvez, mas uma paz falsa, uma paz cega, pois sei que esquecer é permitir que outros, nos nossos piores pesadelos, também possam passar por isso. Eu lembro para poder viver, porque esquecer é morrer e perder de vez minha família.

Quando o mundo se lembra dos acontecimentos do Holocausto, se pergunta: como pudemos deixar isso acontecer? Como o ser humano pôde ser capaz de tamanha brutalidade, de tamanho desamor? Ainda hoje me questiono e creio que minha família – aquela construída juntando meus cacos depois da guerra – assim o faça também. As histórias dos campos de concentração fazem adultos terem pesadelos como se fossem pequenas crianças indefesas.

> As histórias dos campos de concentração fazem adultos terem pesadelos como se fossem pequenas crianças indefesas.

E, se para os adultos é algo indigesto, imagine para as crianças. Uma vez, quando um dos meus netos era pequeno, assim sem mais nem menos, ele me perguntou: “Vovó, verdade que os alemães davam sabão para os judeus fingindo que iam dar banho, mas queriam mesmo era matar todo mundo?”. A história nunca estaria distante de mim; eu sou a história. Levei um tempo até assimilar a pergunta, fiquei paralisada diante da possibilidade de acabar com sua inocência infantil. Mas o que dizer nessa hora? Meu neto precisava saber o que era o horror e que, infelizmente, ele poderia existir: “Sim, é verdade. Por isso temos que lutar até o fim para isso nunca mais acontecer”. Nessa hora tive que engolir meu orgulho e a lembrança amarga de tempos em que a dor era a única forma de viver.

Nunca mais acontecer... O tempo escorre entre nossos dedos. O Holocausto se distancia cada vez mais, mas, ainda assim, temos que sempre fazê-lo presente. É triste mas o mundo ainda sofre tanto com guerras. Vou morrer lutando para que seres humanos não sofram nem percam sua dignidade como aconteceu com os judeus naquela época, como aconteceu comigo. A necessidade de contar essa história nasce da necessidade de conscientizar o mundo.

Preciso superar a dor e seguir em frente. Andar de cabeça erguida e contar sobre os dias em que eu não podia nem olhar nos olhos dos representantes das “raças superiores”, como assim os fizeram acreditar. Muito me passou pela cabeça sobre a importância de contar minha história por mais dolorosa que fosse, mas era preciso esperar pela oportunidade certa, pela pessoa certa. Depois de alguns desenganos do destino e de tentativas que terminaram frustradas, recebi em minha casa a Marcia Batista, que me incentivou a contar esta história e que se mostrou a parceira ideal para o projeto, pois, assim como eu, ela acredita na importância de contar a história do Holocausto para aqueles que não a conhecem, para aqueles que não sabem o suficiente, para aqueles que não se conformam ou, pior, para quem ainda custa a acreditar. Pensamos que é preciso esclarecer esse período sombrio da história mundial quantas vezes forem necessárias, para que nenhuma vida mais seja desperdiçada pela ignorância ou pela intolerância. Essa é a nossa luta e o nosso legado.

Neste livro não os convido para acompanhar uma história feliz. Eu os convido, talvez, para vivenciar um futuro com mais tranquilidade e harmonia. Nas páginas deste livro vocês lerão relatos de acontecimentos que permanecem eternamente na minha memória, como um filme sem-fim, e que me fazem ter pesadelos até hoje. Mas não posso me calar diante do que aconteceu e do que sobrevivi para contar. O preço da liberdade é a eterna vigilância. Como disse George Santayana, filósofo e poeta espanhol: "Aqueles que não podem lembrar o passado estão condenados a repeti-lo".

Nas páginas deste livro vocês lerão relatos de acontecimentos que permanecem eternamente na minha memória, como um filme sem-fim, e que me fazem ter pesadelos até hoje.

CAPÍTULO 1

A VIDA ANTES DA GUERRA

Será que pressentimos aquele momento em que nossa vida é virada de cabeça para baixo, e o que uma vez tratamos como familiar passa a não mais existir? Será que eu soube o exato instante em que o curso de minha vida seria alterado para sempre? Às vezes penso naqueles momentos de infância, recordo-me de tempos com meu pai, minha mãe e meus dois irmãos. São lembranças tão distantes que chego a me esforçar para que a tonalidade em branco e preto delas não se apague ainda mais. Chego até a me questionar se esses dias realmente existiram, se não faziam parte de um conto de fadas contado por outras pessoas, talvez por uma enfermeira, no período do pós-guerra, para que eu pudesse me recuperar melhor e mais rapidamente daqueles momentos sombrios.

As fotos me lembram que ainda tenho minha sanidade e, para meu alívio, que esses tempos foram realmente vividos. Pego uma foto e observo meus pais felizes em seu casamento: foram momentos tão bons, tão cheios de amor, que me deixam feliz por ainda não tê-los esquecido. A infância me remete a sorrisos, a risadas, à leveza e à liberdade. Rostos tão alegres, tão puros, condenados à inexistência pelo simples acaso do destino de terem nascido judeus. Tempos como aqueles fizeram muitos de nós nos questionarmos por que teríamos nascido nessa condição. Não por desamor ao que éramos – pelo contrário, ser judia era um orgulho e não havia outra forma de ser –, mas sempre restava a dúvida: Por que conosco? Por que eles fizeram aquilo conosco?

Nossas histórias nunca são apenas nossas histórias. Minha história, a história de Nanette, confunde-se com uma história maior, que é a dos judeus na Segunda Guerra Mundial. Compreender minha trajetória é compreender a história da Europa, do mundo naquele tempo: quantas milhões de vidas não foram modificadas durante esse período? O dia 10 de maio de 1940 mudou a minha para sempre. Hitler invadiu a Holanda com sua poderosa Luftwaffe, a Força Aérea alemã, e em poucas horas já dominava importantes pontos do país. A Holanda era um local visado pelo Führer, devido à proximidade com a França, um dos principais inimigos da Alemanha nazista. Sem reação diante da investida alemã, o governo holandês se rendeu em um período de cinco dias, deixando sua população nas mãos dos nazistas. Era o começo do fim.

Compreender minha trajetória é compreender a história da Europa, do mundo naquele tempo: quantas milhões de vidas não foram modificadas durante esse período?

Antes de Hitler, porém, tudo era tranquilidade. Nasci no dia 6 de abril de 1929 em Amsterdã, capital da Holanda, filha de pai holandês e mãe sul-africana.

Minha mãe, chamada Helene, era uma mulher à frente de seu tempo e havia trabalhado como secretária antes de se casar com meu pai. Logo que meu avô materno faleceu, uma de suas irmãs mais velhas (eram quatro no total) prestou magistério e começou a trabalhar como professora, ajudando no sustento da casa junto a uma tia de minha mãe. Em seguida, incentivou as mais novas a estudar secretariado e também a trabalhar – certamente era uma casa de mulheres modernas. Depois do casamento, que ocorreu quando ela tinha 25 anos, minha mãe não trabalhou fora de novo, mas continuou exercendo seu papel de mulher forte. Um dos seus maiores legados foi a educação que deixou aos filhos: sua dedicação e seus ensinamentos certamente me deram a direção para que eu seguisse em frente mesmo quando os tempos eram impossíveis de se viver.

Conheci o significado da morte e tive a compreensão de como ela poderia alterar o fluxo de nossa vida logo cedo. Meu irmão mais novo, Willem, nasceu com problemas cardíacos e morreu aos quatro anos de idade. Minha mãe já sabia que isso ia acontecer e estava preparada, assim como nos preparou também. Me recordo de um dia, logo depois da morte de meu irmão, em que ela me disse: "Nanne, querida, eventualmente vai haver cura para isso. Infelizmente o Willem não viveu a tempo. Então, se você tiver seu filho um dia, não se preocupe". A morte do meu pequeno irmão, infelizmente, seria a primeira grande perda em minha vida.

Conheci o significado da morte e tive a compreensão de como ela poderia alterar o fluxo de nossa vida logo cedo.

Assim como minha mãe, meu pai também era uma pessoa admirável. Martijn Willem era holandês e sempre foi um homem promissor. Como não se cursava faculdade naquela época, no começo do século XX, ele estudou na Escola de Comércio de Amsterdã. Ingressou cedo no Banco de Amsterdã e, aos poucos, foi alcançando posições com cada vez mais responsabilidade até chegar à diretoria. Era muito inteligente e falava diversas línguas. Uma vez foi fazer uma viagem à Escandinávia e quando voltou me disse: "Nanne, da próxima vez que eu for para a região vou saber falar a língua escandinava". E eu não duvidava de que ele conseguiria.

Meus pais sempre foram amorosos, mas, sempre à sua maneira, quiseram ensinar a mim e ao meu irmão o valor da responsabilidade: estudar, tirar notas suficientes para passar de ano? Isso não dizia respeito a eles, e sim a nós; nós é que devíamos saber quando realizar o dever de casa, quando estudar para a prova e no que precisávamos melhorar. Vendo os anos que vivemos depois desse momento feliz, não consigo deixar de agradecer pela maneira certa como nos criaram. Os campos de concentração eram lugares para os nazistas extinguirem o povo judeu. Para eles, ali não existia família ou ser humano. Eu não era uma jovem filha de Martijn e Helene, era apenas mais uma prisioneira sem rosto, sem nome, sem direitos. Como poderia sobreviver se ainda sentisse a necessidade de estar agarrada aos meus pais?

No primário a vida ainda era normal e as escolas também. A segregação ainda não havia começado, o que significava que cristãos e judeus estudavam juntos. Ainda podíamos viver em liberdade, e eu aproveitava muito bem isso. Apesar de não ter recebido muitas broncas, hoje olho para trás com um sorriso no rosto, pois estava longe de ser uma menina quieta – o que deve ter dado certo trabalho para os meus pais. Lembro-me de cenas da infância nas quais comia maçãs do vizinho, subia em telhados; era a verdadeira levada da breca. Eu fazia tudo o que não imaginariam de uma menina comportada naquele tempo. Meu irmão, Bernard Martijn, dois anos mais velho do que eu, era mais quieto; nem parecia que eu era a filha mulher.

Morávamos em uma grande casa, que tinha três andares. Eu gostava de fazer ginástica e aproveitava o espaço que havia lá para praticar meus exercícios. Imagine minha mãe me chamando para o jantar e eu pendurada pelos cômodos em anéis de ginástica... É preciso aproveitar os tempos bons e felizes! Nunca sabemos o que pode acontecer depois, nunca poderíamos imaginar o que se passaria conosco. Outra atividade de que gostava bastante também era ler livros, jornais, tudo! Ia buscar o jornal do meu pai logo pela manhã e, enquanto subia as escadas, ia lendo as manchetes do dia. Não sei como ele não desconfiava dessa demora! Quer dizer, era possível que desconfiasse, mas gostava de saber que sua filha se interessava pelas coisas do mundo – era mente aberta como minha mãe.

É preciso aproveitar os tempos bons e felizes! Nunca sabemos o que pode acontecer depois, nunca poderíamos imaginar o que se passaria conosco.

Hoje vejo que meus pais nos incentivaram a formar nossa própria opinião, a não ter visões impostas que só prejudicam a evolução do mundo. Era assim, por exemplo, que eles lidavam com a religião. Nunca fomos judeus ortodoxos, tradicionais. Pelo contrário, minha mãe dizia que não gostava de nada que fosse exagerado, e meu pai era um liberal nato. Mas isso não quer dizer que nossa educação não foi moldada pelos preceitos da religião. Meu pai me fez estudar durante cinco anos com um jovem rabino, achava importante que eu tivesse conhecimentos da nossa história. Não costumávamos ir religiosamente à sinagoga, no entanto, caso fosse necessário, meu pai poderia perfeitamente realizar um *minyan*, oração pública que necessita de um grupo com dez judeus adultos.

Com o passar dos anos, os tempos mudaram. Lembro-me de novembro de 1938, quando ocorreu a terrível Noite dos Cristais, em que propriedades de judeus foram saqueadas e sinagogas queimadas por toda a Alemanha – Hitler começava claramente a concretizar seu plano de expulsar e exterminar os judeus. No entanto, na Holanda, as pessoas continuavam a não perceber a iminência da situação de perigo em que o país se encontrava: pelo fato de termos permanecido neutros na Primeira Guerra Mundial, todos acreditavam que isso aconteceria novamente.

Além da neutralidade que ocorrera na Primeira Guerra, o que também transformara a Holanda em um lugar mais seguro para se morar foi o antissemitismo velado no país – ele existia, mas não era tão explícito como na Polônia, por exemplo. É fácil observar que Hitler plantou a semente em um terreno fértil. Quando publicou, em 1925, *Minha luta*, livro escrito enquanto estivera na prisão, havia um coro pronto para se juntar a ele quando chamava a nós, judeus, de "vermes parasitas". Junte isso ao fato de a Alemanha estar quase destruída em termos econômicos, políticos e sociais após a Primeira Guerra, e o roteiro da peça está pronto para ser encenado. Lembro que meu pai costumava dizer que "era diretor no banco, *apesar* de ser judeu".

Lembro que meu pai costumava dizer que "era diretor no banco, *apesar* de ser judeu".

Depois de 10 de maio de 1940, não havia mais do que duvidar: a situação só piorou para os judeus na Holanda. Os nazistas logo estabeleceram que todos os holandeses deveriam realizar seus registros e declarar-se como judeus ou não – eu e minha família assinamos nossa sentença de morte em 22 de março de 1941. Esses registros, assim como a administração de todos os guetos na Polônia que mantiveram os judeus praticamente em prisões, foram realizados pelos Conselhos Judaicos estabelecidos pelos nazistas. Tais instituições tiveram um papel muito polêmico durante o Holocausto.

Aos poucos, os judeus foram sendo excluídos da sociedade, e eu cada vez mais fui observando minha liberdade ser arrancada de mim – assim como a vida em toda a Holanda, a minha também começara a mudar para pior. No final de 1940 os funcionários públicos judeus foram demitidos, bem como as professoras. A partir daí, mais medidas foram adotadas para nos isolar dos holandeses, mostrando que não era nosso direito viver ali.

> Transporte público, parques públicos e cinemas também eram proibidos, e vários comércios tinham a placa que me angustiava: PROIBIDO PARA JUDEUS.

Eu não podia mais andar de bicicleta. Transporte público, parques públicos e cinemas também eram proibidos, e vários comércios tinham a placa que me angustiava: PROIBIDO PARA JUDEUS. Para ir aos poucos lugares que poderíamos ir, devíamos trajar a Estrela de Davi amarela que nos identificaria a todo o momento, algo que fazia com que eu me sentisse extremamente vulnerável. Além disso, os judeus não podiam mais ter uma empresa ou mesmo exercer suas profissões. Infelizmente, apesar da tentativa do banco de evitar a perda de uma importante liderança, meu pai também foi demitido. Ainda hoje não consigo acreditar na insanidade disso tudo. Mal sabia eu que a impossibilidade de compreensão seria ainda mais desesperadora à medida que Hitler avançasse em seu plano.

Após uma operação extremamente organizada à moda alemã, os nazistas tinham informações suficientes sobre os judeus holandeses para continuar com seus desmandos. No final de 1941 foi comunicado que os judeus não poderiam frequentar a escola que bem entendessem (afinal, que pretensioso de nossa parte, não?). Na Holanda foram criados 25 colégios judaicos, e eu deveria passar a frequentar um destes. Não sei ao certo qual foi a minha sensação naquele momento. Era simplesmente o que deveríamos fazer e assim foi feito, mas imagine para uma menina de doze anos, com toda a sua curiosidade pelo mundo e realizando descobertas sobre si, ter que mudar todo o seu conceito de vida de uma maneira abrupta. Eu não poderia mais ver meus colegas de escola cristãos, não poderia frequentar suas casas ou comemorar seus aniversários – e simplesmente tivemos que acatou isso, como se os alemães tivessem virado deuses de nossa vida, jogando os dados de nosso próprio destino. A maioria dos holandeses, motivados pelo medo, também acataram as decisões sem questionar ou protestar. Não havia o que fazer e assim deveríamos seguir nossas vidas.

Foi nesse novo colégio judaico que eu conheci uma menina magra, bonita, de sorriso cativante e que chamava a atenção de todos por suas histórias e frases inteligentes: Por uma mera coincidência do destino, eu e Anne Frank ficamos na mesma escola e na mesma classe. Todos eram judeus ali, entre professores e alunos, algo que foi se tornando muito dramático ao longo da guerra. No primeiro ano havia 30 alunos na minha sala; no segundo éramos apenas dezesseis. As pessoas simplesmente desapareciam e não sabíamos nada sobre elas, não se comentava nada. Estariam escondidas ou teriam sido deportadas? No final de junho de 1942 já havia sido noticiado na imprensa holandesa que os nazistas decidiram enviar os judeus para campos de trabalho forçado na Alemanha.

Por uma mera coincidência do destino, eu e Anne Frank ficamos na mesma escola e na mesma classe.

Como a deportação era a possibilidade mais devastadora, havia um medo habitual que convivia entre nós, um medo de você e sua família serem os próximos a serem levados. Um dia você acordava e não tinha mais primos, no outro sua avó era deportada e sumia como se nunca houvesse existido; esses foram tempos traumáticos. No entanto, foi nesse ambiente de sofrimento compartilhado que nós, colegas de sala e de preocupação, conseguimos manter nossa união. Cientes de que estávamos vivendo uma época difícil, de muito medo e opressão em nossa vida, e por isso mesmo não gostaríamos de piorá-la, não criávamos nenhum tipo de desavença. A harmonia que o mundo carecia naquele momento era ensaiada por um grupo de crianças judias de não mais que catorze anos.

Anne Frank também desapareceu um dia. Ela e a família se esconderam no início de julho de 1942 no famoso anexo secreto localizado na empresa do pai, Opekta Werke, que fabricava matéria-prima para geleias de frutas. Havia um boato de que eles teriam fugido, mas não sabíamos ao certo. No entanto, durante o período em que Anne e eu convivemos no Liceu Judaico, pude participar do seu 13º aniversário. Naquele tempo os filmes eram em rolo. Vimos uma espécie de propaganda de fabricação de geleia e, na sequência, o filme *Rin Tin Tin*. Eram tempos de guerra, então foi servido um lanchinho simples e todos tinham de retornar às suas casas antes das 20 horas devido ao toque de recolher. Alguns biógrafos relatam erroneamente que eu presenteei Anne com

Durante o período em que Anne e eu convivemos no Liceu Judaico, pude participar do seu 13º aniversário.

um marcador de páginas. Mas a verdade é que levei um broche para ela. Lembro disso como se fosse hoje. Presenciei também o momento em que Anne ganhara seu amado – e posteriormente muito famoso – diário. Ninguém ali naquela sala da casa dos Frank poderia imaginar que aqueles papéis guardariam palavras que emocionariam leitores pelo mundo inteiro. Havia muito naquela sala que nenhum de nós imaginaria, e infelizmente isso não estaria nos nossos sonhos (como era o de Anne ser escritora), mas nos nossos piores pesadelos.

Presenciei também o momento em que Anne ganhara seu amado - e posteriormente muito famoso - diário.

No fim de setembro de 1943, estávamos dormindo quando, logo cedo pela manhã, nossos sonhos foram interrompidos pela dureza da realidade. Bateram muito forte em nossa porta, como se quisessem derrubá-la mesmo, pouco importava. Não lembro se foi meu pai ou minha mãe quem abriu a porta, só sei que eu ouvia muito alto as batidas do meu coração, que aceleravam ao mesmo tempo em que se juntavam ao medo de que alguém pudesse ouvir ou se irritar com isso. De repente estávamos nós quatro sem ter o que fazer diante dos nazistas, que brutalmente nos xingavam e nos apressavam para nos arrancar de nossa casa com poucas roupas e alguns objetos pessoais. Como em todos os casos, posteriormente a Pulse[1] se apossou de nossa casa e de tudo o que tínhamos de valor. A mim, é impossível compreender como Hitler conseguiu tal empreendimento: transformar homens e mulheres em seres brutais, sem

1 Empresa de mudanças contratada pelos nazistas para esvaziar os lares dos judeus deportados.

o mínimo senso de humanidade. Este seria só mais um dos momentos de questionamento. Depois de setembro de 1943, enquanto permanecia a caça aos últimos judeus escondidos, a Holanda foi declarada como sendo livre de judeus.

CAPÍTULO 2

FUTURO INCERTO

Hitler vivia brincando conosco. Depois de impedir os judeus de utilizarem o transporte público, pela organização e estrutura que montara juntamente com atuação do Conselho Judaico, agora levava a mim e a minha família de bonde para nosso futuro incerto – incerto e desesperançoso. O que sentir nesse momento, além de medo? Não há outra sensação que eu me recorde de conviver tanto nesse período; o medo havia se tornado o meu melhor amigo.

Meu pai não havia cogitado a possibilidade de buscarmos um esconderijo, como alguns judeus holandeses fizeram ao sentir a iminência do perigo. Para se esconder, era necessário ter dinheiro e confiar naqueles que disponibilizariam o esconderijo, pois havia a possibilidade de ser traído e levado para deportação. Além disso, o final da guerra era uma incógnita para todos. Até quando teríamos que nos esconder? No entanto, sei que ele confiou na palavra e na boa-fé de uma advogada, e considerou isso o suficiente para sentir-se seguro.

O que ocorreu foi que na certidão de nascimento sul-africana de minha mãe (que ela não mais possuía) não constava sua religião, não constava que ela era judia e, por causa disso, essa advogada disse que conseguiria um documento que nos ajudaria. Por um preço, é claro. Ela nunca nos entregou essa certidão, nos enganando assim como fez com outras famílias.

É incrível como a guerra pode exacerbar o melhor e o pior das pessoas – as situações que vivemos e presenciamos, infelizmente, mostraram muito do pior. Aqueles que estavam escondidos também não estavam a salvo, já que temiam ser descobertos por alguém que os denunciasse em troca de uma razoável quantia de dinheiro. Não há nada o que dizer, apenas que esses eram tempos de guerra.

Aqueles que estavam escondidos também não estavam a salvo, já que temiam ser descobertos por alguém que os denunciasse em troca de uma razoável quantia de dinheiro.

Depois de nossa captura, rapidamente chegamos, atravessando ruas que me pareciam desertas, à estação de trem de Amstel. Não teria alguém para nos ajudar no caminho? Não poderiam ter feito algo? De fato, todos estavam muito aterrorizados para fazer qualquer coisa. Ajudar um judeu poderia significar a morte. Ninguém viera em nosso socorro, por isso estávamos ali, prontos para partir. Uma estação de trem pode levar para muitos destinos: viagens de férias, viagens de negócios, visitas a familiares distantes. No entanto, aquela estação nos levaria, contra nossa vontade, para algo terrível.

O destino seria Westerbork, campo de transição situado no nordeste da Holanda, na província de Drenthe. A

Holanda é um país pequeno, logo, seria uma viagem curta, de poucas horas. Lembro que no trem nos acompanhavam alguns guardas, que queriam se certificar de que não fugiríamos e chegaríamos ao destino, como se fôssemos os piores criminosos do mundo.

O campo de Westerbork fora construído pelo governo da Holanda em 1939 para receber os judeus refugiados da Alemanha, que tinham medo do perigo crescente que o Partido Nazista representava para sua segurança. Essa era uma construção muito útil para os interesses perversos dos alemães. No final de 1941, eles decidiram que esse era o local ideal para ser o campo de transição de judeus holandeses que seriam deportados para os campos de extermínio. Em julho de 1942, os alemães adquiriram controle do local e a operação fora iniciada. Era uma parada em Westerbork antes do envio para a morte.

O trem chegava diretamente dentro do campo. Westerbork era um lugar totalmente inóspito, com paisagens cinza e sem alegria, longe de qualquer coisa que me lembrasse a cidade de onde partimos e a antiga e tão recente vida que envolvia brincadeiras gozando da liberdade plena. No entanto, quando hoje olho para trás e penso nos dias posteriores a essa passagem, vejo que ali ainda era um lugar melhor para se viver os tempos de guerra.

No campo havia um grande corredor principal, com barracões em ambos os lados. Olhei ao redor e também pude observar guardas e torres de vigilância: o cenário sombrio e solitário de uma prisão. E quem estava pagando por tudo aquilo? Literalmente, nós mesmos, porque a manutenção do campo, bem como sua expansão, era financiada com os bens confiscados dos judeus.

Chegamos com nossos pertences e nos levaram para sermos registrados. Devíamos dizer nosso nome e de onde éramos, apesar de não sabermos o que estávamos fazendo ali. Essa ação era repetida nos campos de concentração administrados pelos nazistas aos que sobreviviam à seleção para a execução na câmara de gás logo que chegavam (no caso dos campos de extermínio), algo que, ironicamente, fez com que, depois da guerra, muitas vítimas pudessem ter seus últimos passos rastreados pelos familiares que eventualmente sobreviveram. No momento do registro, eu e a minha família quase não falávamos; meu irmão, que já era de personalidade discreta, estava extremamente assustado. Todos estampavam a preocupação na face.

Pudemos permanecer com nossas próprias roupas, ao contrário daqueles que haviam se escondido ao serem convocados para a deportação – esse fora o caso de Anne Frank e sua família, depois de terem sido descobertos em seu esconderijo, em agosto de 1944. Os foragidos eram considerados "judeus condenados" e deveriam utilizar macacões azuis e tamancos de madeira, além de permanecer no bloco de punição, forçados a trabalhar nas piores condições e recebendo menos comida. A

Os foragidos eram considerados "judeus condenados" e deveriam utilizar macacões azuis e tamancos de madeira, além de permanecer no bloco de punição, forçados a trabalhar nas piores condições e recebendo menos comida.

família Frank teve de trabalhar desmantelando antigas pilhas. Qual era o objetivo desse trabalho? Não sabíamos, assim como não sabíamos o sentido de muitos dos trabalhos aos quais os judeus eram submetidos nos campos de concentração.

Depois do registro, seguimos para os barracões: eu e minha mãe deveríamos ir para o alojamento das mulheres, enquanto meu pai e meu irmão para o dos homens. Apesar de dormirmos separados, durante o dia havia certa liberdade para nos encontrarmos, algo que fazíamos sempre que podíamos. Dormíamos em beliches, um luxo, perto das condições que enfrentaríamos posteriormente, ou da situação daqueles que conseguiam sobreviver à câmara de gás em Auschwitz.

Westerbork me parecia um lugar paradoxal, por ter abrigado milhares de refugiados vindos de diferentes locais. Por ser um campo de transição, abrigava visitantes esporádicos e, ao mesmo tempo, pessoas que formaram ali uma comunidade, um lar. Por exemplo, havia escolas, teatros, hospitais, todas estruturas que contavam com intensa participação dos judeu-alemães que estavam lá desde o início.

Os judeus holandeses que seriam deportados não ficavam ali por mais de alguns dias, talvez semanas. Encontrávamos pessoas que conhecíamos de Amsterdã, mas rapidamente perdíamos contato, pois logo estavam em trens rumo aos seus maiores pesadelos. Eu e minha família ficaríamos mais tempo por lá, fato que nos dava esperança, ao mesmo tempo que me angustiava pela vivência dos dias, dos quais tenho memória de serem muito longos.

Devido à boa e respeitada posição de meu pai, nossos nomes passaram a constar na lista Palestina, em que estavam os nomes dos judeus que poderiam ser trocados por prisioneiros de guerra alemães e outros fins. Isso significava que poderíamos ter um pouco de esperança de nos distanciarmos daquele lugar, daquela situação – esperança que se mostrou uma ilusão, na verdade.

Tínhamos uma quantidade razoável de comida, suficiente para não passarmos fome. No entanto, havíamos perdido todo o conforto de nossas casas. Formávamos longas filas para esquentar a comida em aquecedores de ambiente, tomávamos banho em duchas de água fria (mesmo no inverno), e as necessidades eram feitas em latrinas. Chegar àquele lugar e passar por essa situação mudou minha concepção de higiene – infelizmente, não havia como fazermos algo em relação a isso, apesar de ter sido muito incômodo.

Formávamos longas filas para esquentar a comida em aquecedores de ambiente, tomávamos banho em duchas de água fria (mesmo no inverno), e as necessidades eram feitas em latrinas.

Não trabalhei em Westerbork, mas, eventualmente, ajudava a tomar conta de crianças – que, assim como os adultos, logo iam embora para os piores destinos. Ali pelo menos as crianças podiam se divertir em diversos momentos. Cantávamos e brincávamos com elas, estimulando um pouco de fantasia naquele ambiente sem cor. Os adultos faziam o que podiam para mantê-las longe daquela situação.

Eu e meu irmão, com 14 e 16 anos, respectivamente, não éramos mais crianças. Além disso, a situação havia feito com que amadurecêssemos mais depressa do que seria natural para a idade, e fazíamos o possível para não causar preocupação aos nossos pais. Eventualmente ouvíamos conversas sobre o que estava acontecendo, porém não tínhamos ciência de tudo. Lembro-me de que durante esse nosso período no campo de transição, meu pai foi algumas vezes a Amsterdã. O que teria ido fazer lá? Eu não sei, e até hoje isso é um mistério para mim.

Westerbork tinha uma vida relativamente calma. No entanto, tudo não passava de uma ilusão para que os judeus cooperassem com aquele repugnante plano e achassem que tudo iria ficar bem. Diferentemente dos campos de concentração, o local tinha poucos nazistas, que eram responsáveis pela vigilância externa do campo. Internamente, a responsabilidade era da polícia holandesa. Penso que a intenção dos nazistas era apenas garantir que os deportados seguissem seu caminho. Como alguns judeus chegavam a ficar pouquíssimos dias ali, imagino que nem puderam capturar o que seria a "vida" naquele local.

Afora essa aparente vida sem preocupações, a ansiedade era algo constante no nosso dia a dia. Todas as segundas-feiras, liam-se os nomes daqueles que deveriam apresentar-se para a deportação. Era algo horrível: aqueles que constavam naquela lista desesperavam-se tremendamente, aqueles que não estavam suspiravam com alívio. Ainda não sabíamos ao certo para onde os transportes nos levariam, mas o conhecido era sempre melhor que o desconhecido, e já sabíamos sobre a existência de campos de extermínio. No entanto, o alívio não durava mais que uma semana, pois na segunda-feira seguinte ouviríamos nomes novamente, torcendo para não escutar o nome de nossa família. Aqueles que deveriam partir para os campos de extermínio deveriam apresentar-se no dia seguinte no pátio interno, local de onde partiam os trens. Hoje olho para trás e não consigo imaginar algo mais grotesco do que essa cena: famílias reunindo os poucos pertences que ainda mantinham para seguir rumo à morte. Que tipo de humanidade seria essa?

Anne Frank passou por essa mesma rotina e ouviu seu nome na lista para o trem que partiria no dia seguinte, 3 de setembro de 1944, rumo ao campo de Auschwitz.

Anne Frank passou por essa mesma rotina e ouviu seu nome na lista para o trem que partiria no dia seguinte, 3 de setembro de 1944, rumo ao campo de Auschwitz. Era um dos últimos transportes da Holanda que partiria rumo a um dos mais temidos campos, e levava toda a família Frank e os outros quatro moradores do local onde Anne ficara escondida.

A operação no campo de Westerbork era conduzida a distância pelo alemão Albert Gemmeker, comandante do campo e uma figura que permanece rodeada por mistérios até os dias de hoje. Ele incentivava as manifestações culturais no campo e não era visto aplicando punições nos prisioneiros, algo de que os alemães pareciam ter tanto prazer. No entanto, às terças-feiras estava ele lá, atenta e placidamente observando aquelas cenas que poderiam ser a introdução de um filme de horror.

Devido às precárias condições de higiene, mamãe pegou piolhos. Os campos eram infestados de piolhos, e era algo extremamente enervante ter que conviver com aqueles bichinhos sujos, sem poder fazer nada, sem um remédio e sem a possibilidade de permanecer limpa. Isso deixou mamãe em um terrível estado de nervos.

Quando me recordo desses dias de longa espera, não sei como conseguia olhar para a frente. O futuro era uma incógnita, e não sabíamos o que esperar. O que sabia com convicção é que haviam me tirado da escola, arrancando-me brutalmente da minha casa, da minha vida, e então vivia esperando por um destino que não mostrava o menor sinal de otimismo. O que poderia fazer para reagir? Como superar os dias intermináveis? O que esperar da nossa vida dali para frente?

A tensão e a ansiedade eram tamanhas que um dia, de repente, desmaiei no meio do campo. Perdi os sentidos repentinamente, e uma senhora me acudiu. Voltei à consciência com os leves tapas que ela me dava no rosto para que eu pudesse me recuperar. Pode ser que eu tenha desmaiado também em virtude das condições precárias a que estávamos submetidos, mas a causa principal certamente foi o estado de nervos em que eu constantemente vivia. Teria meu corpo tentado uma forma de escapar para me afastar da realidade que mais parecia um pesadelo?

A tensão e a ansiedade eram tamanhas que um dia, de repente, desmaiei no meio do campo.

E assim fomos vivendo nossa vida em Westerbork: mantendo nossa família unida, tentando afastar, o máximo que seria possível naquela situação, os pensamentos que constantemente nos assombravam. Passaram-se os meses que pareciam não ter fim e chegamos ao inverno de 1944, o que deixava ainda mais angustiante o fato de não termos água quente ou qualquer outra coisa que nos proporcionasse o mínimo conforto. Seria melhor permanecermos para sempre ali até o fim da guerra? Ali, pelo menos, era possível sobreviver. No entanto, o plano dos alemães não envolvia sobrevivência.

O plano dos alemães não envolvia sobrevivência.

No dia 14 de fevereiro de 1944, mais uma vez estávamos a postos para ouvir a lista de nomes que seguiriam para um lugar ainda mais desconhecido. Dessa vez, não haveria alívio momentâneo para minha família: Nanette Blitz, Martijn Willem, Helene e Bernard deveriam apresentar-se no dia seguinte no trem rumo à deportação. Essa rotina ainda seria repetida muitas vezes na nossa ausência: seria apenas no dia 15 de setembro de 1944 que sairia o último transporte de Westerbork, também rumo ao campo de Bergen-Belsen, levando algumas pessoas e deixando menos de mil prisioneiros no campo de transição.

Enquanto outros iam embora rapidamente, eu e minha família permanecemos quatro meses ali. Não sabia dizer se aquilo seria o fim ou o começo. A mesma cena que fora repetida tantas vezes agora era protagonizada pela minha família: nós quatro, esperando o trem, muito tensos e ansiosos. Intimamente, torcia para que esse trem nunca chegasse e eu não precisasse partir dali. No entanto, isso não aconteceu, e tivemos que embarcar.

O que sentimos naquele momento? Um certo alívio, porque sabíamos que iríamos para Bergen-Belsen, um campo considerado em melhores condições do que os outros. Contudo, esse alívio duraria apenas um breve momento – não haveria momentos de despreocupação dali em diante.

CAPÍTULO 3

AS PRIMEIRAS IMPRESSÕES DE BERGEN-BELSEN

Não sabíamos o que esperar de Bergen-Belsen. Em Westerbork conseguimos passar meses aparentemente sem risco de morrer. Será que em Bergen-Belsen teríamos a mesma "sorte"? Novamente íamos para um local totalmente desconhecido. Era um lugar controlado pelos nazistas, o que não podia ser um bom ambiente para os judeus.

Mais uma vez seguimos viagem em um trem comum. Posteriormente, soubemos que esse também tinha sido um "privilégio" nosso. Quando seguiam para os campos de extermínio, os judeus deportados iam em vagões de gado, sem comida e com apenas um balde com água para as necessidades, em condições realmente desumanas. Além disso, os trens rumo ao leste adentro enfrentavam distâncias maiores, demorando dias até o destino final.

O trem que nos levava estava imerso em um silêncio que gritava mais do que qualquer som. Todos tinham medo de falar naquela situação; quando se falava, falava-se pouco. Lembro que, desde a ocupação, minha mãe costumava pedir para que eu e meu irmão tomássemos cuidado com o que conversávamos, afinal, "as paredes tinham ouvidos".

Nosso destino seria a própria Alemanha, o território inimigo e extremamente temido. Ao longo de toda a viagem não recebemos comida. Acompanhavam-nos durante a deportação novamente os soldados da SS, com uniformes pretos, pesadas botas militares e quepe. Eles tinham uma aparência muito sinistra: era como se o rosto nunca relaxasse ou dissipasse o olhar sombrio. Trajavam um cinto com as inscrições em alemão *Gott ist mit uns* ou "Deus está conosco". Que tipo de Deus seria esse? Só se fosse um Deus maligno, como Hitler, que tanto se empenhou em ensinar seus seguidores a servi-lo.

A SS, ou Schutzstaffel, foi criada em 1925 com o objetivo de ser uma tropa de elite responsável pela proteção de Adolf Hitler. O que era preciso para fazer parte desse esquadrão de elite? Claro que Hitler não aceitaria ninguém com poucas "qualificações". Logo, para trabalhar em prol da segurança do líder nazista, fazia-se necessário ser um membro da raça ariana e possuir uma fervorosa lealdade ao Partido Nazista. Não à toa, o lema da SS era *Mein Ehre heißt Treue*, ou "Minha honra se chama lealdade". Claramente, Hitler não queria trabalhadores comuns, mas seguidores de sua doutrina que fizessem todo o sistema funcionar.

A partir de 1929, a SS passou a ser comandada por Heinrich Himmler, alguém tão perverso quanto seu líder Hitler. Era um dos mais importantes homens do Partido Nazista, competindo apenas com Hermann Göring, o ministro da Aeronáutica, Joseph Goebbels, ministro da Propaganda, e Martin Bormann, secretário particular do Führer. A antes pequena tropa de elite cresceu sob a atuação de Himmler, absorvendo outras organizações de poder do Partido. Dessa maneira, a SS, ou Himmler, passou a comandar os campos de concentração no ano de 1939 e, em seguida, os campos de extermínio, em 1941. Estima-se que, na época da Segunda Guerra Mundial, a SS contava com cerca de um milhão de membros. Obviamente, Hitler não conseguiria cumprir sozinho seu plano perverso.

Estima-se que, na época da Segunda Guerra Mundial, a SS contava com cerca de um milhão de membros. Obviamente, Hitler não conseguiria cumprir sozinho seu plano perverso.

Durante nossa viagem de trem para a Alemanha, não poderíamos imaginar o tipo de guardas que nos acompanhariam, ou mesmo o que seriam capazes de fazer. Para uma menina de catorze anos, entretanto, a aparência carrancuda e o olhar sombrio já eram suficientes para aterrorizar: certamente os nazistas não estavam ali para serem nossos amigos.

Assim como a Holanda, o interior da Alemanha tem uma paisagem bem bucólica no verão. Estávamos no inverno, e o cinza que nos cercava era acentuado pelo clima inquieto de nossas almas. Enquanto o trem seguia seu percurso, flashes passavam pela minha cabeça: nossas viagens de férias para a Suíça, nossas viagens para encontrar a família na Inglaterra, as minhas brincadeiras com o meu irmão. Será que teríamos momentos felizes novamente? Será que voltaríamos a ter uma vida normal em nossa casa? Poderia eu, no futuro, crescer, estudar e ter minha profissão? Não havia como saber.

Entrar no território alemão causava um enorme frio na barriga.

Entrar no território alemão causava um enorme frio na barriga. Era ali que toda a situação havia começado. Era ali que, em 1933, os cidadãos haviam elegido democraticamente um líder que pregava que o país deveria se livrar de tudo que fosse impuro – e isso incluía os judeus. O que poderiam fazer ali conosco? As pessoas com feições tão bonitas e tranquilas, com crianças aparentemente tão doces, sorrindo e brincando, poderiam nos fazer algo ruim?

Quando o trem parou em seu destino, meu coração começou a acelerar: uma coisa é imaginar o que vai acontecer, mas, quando a imaginação se torna real, não há nada a fazer a não ser seguir em frente. Será que poderíamos ter fugido daquele trem? Será que os guardas da SS, por um erro, nos dariam a oportunidade de escapar para bem longe dali? Para evitar fuga de prisioneiros, havia membros da SS também em cima do trem. Houve casos, em trens que seguiam rumo a Auschwitz-Birkenau, em que os prisioneiros, quando percebiam, através da pequena abertura nos vagões de gado, que estavam indo rumo ao leste, à Polônia, desesperavam-

-se e tentavam fugir. Nessas fugas, houve quem tivesse membros do corpo amputados e também quem morresse. Quase não existia possibilidade de escapatória.

Ao contrário do acontecido em Westerbork, não paramos diretamente no campo. Para onde iríamos? O que poderíamos esperar? Todos se levantaram e pegaram suas coisas – as poucas que restavam. Fomos em direção à saída do trem, como num movimento automático, pois não havia opção. O que teriam feito se eu me rebelasse e não quisesse sair? Se eu recusasse a me mover por um segundo e me revoltasse como uma jovem normal faz em uma juventude normal? Acho que, nesse caso, eu certamente não estaria mais aqui: na operação nazista não havia espaço para desobediências.

Na operação nazista não havia espaço para desobediências.

Quando saímos do trem, foi como se eu tivesse levado um choque. Era a realidade se apresentando à minha frente: diversos homens da SS, serenamente alinhados e em ordem, como em um dia de trabalho comum, e seus imensos e ferozes cachorros da raça pastor-alemão. Aqueles cães eram a própria face do terror, latiam e nos olhavam com seus olhos demoníacos, sedentos por uma mordida que fosse. Eu torcia para que eles nunca conseguissem escapar e que nunca chegassem perto de mim ou de minha família.

Daquele momento em diante entenderíamos bem o papel dos guardas da SS: certamente não estavam lá para nos ajudar; foram treinados para nos humilhar e atormentar nossa vida quanto mais conseguissem. Esse foi o primeiro choque em comparação a Westerbork, uma vez que lá havia poucos nazistas, e eles quase não nos incomodavam. Já nos campos de concentração, quem administrava o local eram os alemães, não policiais holandeses ou judeu-alemães. Meu medo e minha tensão aumentaram naquele instante.

Os homens da SS foram se aproximando com seus animais e gritando em alemão. Entre xingamentos, nos falaram que deveríamos seguir caminhando em fila, pois seria uma viagem longa até Bergen-Belsen. Rapidamente formamos as filas para onde eles deveriam nos encaminhar. Naquele momento ninguém ousava contestar e olhávamos para baixo com medo do que o mínimo contato visual poderia causar.

Esse foi um momento divisor de águas. Tínhamos sido tirados de casa, passado meses em Westerbork sem saber o que o futuro aguardava para nós – o que já era algo digno de preocupação –, mas havíamos sobrevivido em segurança até então. Agora, a verdadeira realidade começava a descortinar-se sobre nós: estar naquela fila, com aquelas feras treinadas para machucar qualquer pessoa que saísse da linha, seguindo ao lado daqueles homens com indícios de que jamais fariam algo para nos ajudar. Sem dúvidas, não haveria mais espaço para a ilusão.

Estávamos no norte da Alemanha, próximos de cidades como Hanover e Celle, que é uma cidade com construções medievais, castelos e um clima de cidade pequena. Nada do que estávamos vivendo tinha a menor semelhança com a vida dos alemães tão próximos de nós. Estariam eles em casa naquele momento comendo uma refeição quente em um lugar confortável? Teriam eles a oportunidade de ficar em casa sem serem importunados? Certamente. Nesse ponto, já estávamos cientes de que aquela vida tranquila não nos pertencia mais, conforto era algo que não faria parte do nosso vocabulário naquele campo de concentração. Não existia esperança desde o momento que havíamos perdido nossa casa.

Seguimos por paisagens de inverno com muitas árvores sem folhas, mas sempre acompanhados pelo barulho do vento. O frio de inverno já ia dando seus últimos suspiros para, em seguida, abrir caminho para a chegada da primavera. A paisagem era certamente bonita, tão bonita que não deveria ser permitido que coisas ruins acontecessem ali. E o que aconteceria então? Os alemães e seus cachorros eram os únicos que poderiam falar qualquer coisa; não tínhamos permissão para falar nada nem perguntar aonde estávamos indo e o que pretendiam fazer conosco – muito menos tínhamos o direito de contestar e reclamar que não queríamos estar ali.

Meus pais estavam próximos, também extremamente apreensivos. Para uma criança, os pais são o porto seguro, a confirmação de que tudo ficará sempre bem: se existisse algum problema, sabíamos para onde correr, no colo de quem chorar. No entanto, estávamos em uma situação em que meus próprios pais temiam pela vida, como crianças indefesas, sem ter o que fazer. Nessa situação,

Estávamos em uma situação em que meus próprios pais temiam pela vida, como crianças indefesas, sem ter o que fazer.

não haveria mais como colocar a responsabilidade neles: dali em diante eu teria que me virar cada vez mais sozinha. Só não tinha ideia do que isso envolveria, qual nível de independência deveria atingir.

A caminhada permanecia por mais de meia hora, e não importava que não havíamos comido desde a saída de Westerbork. Às vezes, nós, seres humanos, tendemos a achar que não temos força para suportar determinadas situações que nos são impostas. No entanto, nos vemos diante delas e não há o que fazer além de seguir adiante. Obviamente, há situações em que o insuportável se torna intransponível. Mas isso eu só aprenderia em Bergen-Belsen.

Finalmente chegamos ao campo, depois de todos aqueles passos apreensivos que tivemos de dar. O barulho dos passos era algo em que prestei atenção durante a caminhada. Eu costumava reparar também naqueles trilhos de trens. Desde aquelas terças-feiras de intensa comoção em Westerbork, de onde os prisioneiros partiam para, supostamente, campos de trabalho, eu já não via esses trilhos como algo bom. Hoje, vejo que minhas suspeitas estavam totalmente certas: esses trilhos representam o escombro da comunidade judaica.

Logo à primeira vista, Bergen-Belsen me pareceu um lugar ruim. Não tinha uma paisagem bonita para se ver e muito menos para habitar: uma extensa construção com diversas barracas, cercadas por arames farpados. Aqueles arames farpados formavam uma imagem horrível: para que tudo isso? Seria para proteger ou para machucar as pessoas em Bergen-Belsen? Certamente não seria algo bom.

Aquele espaço era formado por diversos campos separados pelo arame farpado. Era realmente grande, e eu me perguntava em qual daqueles lugares ficaríamos. Fomos nos aproximando mais do local, e a primeira impressão foi que os dias não seriam agradáveis e a vida não seria fácil. Olhava aquelas torres de vigilância e os soldados da SS com suas armas e não conseguia encontrar uma perspectiva de irmos embora. Perguntava a mim mesma se estaria novamente em uma casa normal algum dia, onde as circunstâncias não nos fariam sentir como as piores pessoas do mundo, como se tivéssemos cometido um delito apenas por existir. Com certeza, todas as famílias judaicas não sabiam o que seria de seu futuro e não esperavam muito dele.

Não sei bem se me dei conta do que seria para mim e para nossa vida estar em um campo de concentração. Você só compreende o que é um local como esse quando passa a habitá-lo, não há outra forma de compreender. E, mesmo assim, o entendimento ainda não é total – não há como você compreender o que existe para não ser compreendido.

Naquela época, a maioria de nossos conhecidos, parentes, amigos, estava passando pela mesma situação e pela mesma rotina nos campos, isto é, se já não estavam mortos. A deportação dos holandeses havia começado em julho de 1942. E a Holanda era apenas um dos países onde toda essa operação acontecia.

No começo do plano, a Alemanha nazista agia com cautela e utilizava eufemismos para disfarçar sua intenção, afirmando que os judeus seriam levados para campos de trabalho, supostamente, algo que não se sabia exatamente o que significava. Aos poucos, outras medidas foram implementadas, e foi se tornando mais claro aonde os alemães queriam chegar – ou os níveis de crueldade que aquele plano alcançaria.

Quando ascendeu ao poder, Hitler lidava com a solução judaica de maneira prática apenas em território alemão. Os judeus deveriam sair de seu país, como foi o caso da família Frank, que fugiu de Frankfurt para a Holanda em 1933, onde supostamente estariam seguros. No entanto, poucos meses depois já começara a se consolidar a ideia de confinação de opositores ao regime – ou daqueles que eram considerados opositores. Foi construído o campo de Dachau, em uma antiga fábrica de pólvora próxima à cidade de Dachau, na Alemanha, para onde eram levados ciganos, homossexuais e judeus. Conforme a guerra foi avançando e os países europeus sendo invadidos (vários deles foram ocupados pela Alemanha nazista), os nazistas começaram a lidar com o "problema" judaico em âmbito continental.

A questão tornou-se bastante crítica nos países do Leste Europeu, tais como Polônia e União Soviética, onde o antissemitismo era intenso. Hitler assinara um tratado de não agressão com a União Soviética, o Pacto Molotov-Ribbentrop, que foi ratificado em agosto de 1939. No entanto, para cumprir as ambições dos nazistas, esse tratado foi ignorado em junho 1941, quando as tropas alemãs invadiram o território soviético comandado por Josef Stalin. Depois da invasão, Himmler deveria cuidar da segurança do país ocupado, bem como possuía autoridade para eliminar fisicamente qualquer um que atrapalhasse os planos, realidade que se tornou bem dramática.

Na Polônia, foram sendo estabelecidos os campos de extermínio com a câmara de gás. Inicialmente, os prisioneiros eram mortos com monóxido de carbono gerado por motores a diesel. No entanto, os nazistas desejavam maior eficiência nos extermínios, e a saída encontrada para isso foi o gás Cyklon B, utilizado para desinfetar roupas, mas, quando em forma de comprimido, tornava-se letal ao entrar em contato com o ar. Essa foi a solução utilizada para matar milhares de prisioneiros no mesmo dia em campos como Majdanek, Treblinka e Auschwitz-Birkenau. Foi na Conferência de Wannsee, em 20 de janeiro de 1942, que líderes nazistas se reuniram para discutir a decisão de seguir com o plano "Solução Final", com o objetivo claro de exterminar o povo judeu. Ao chegar em Bergen-Belsen, apenas um dos muitos campos de concentração nazistas, não tínhamos conhecimento nem entendíamos a dimensão desse plano.

Inicialmente, os prisioneiros eram mortos com monóxido de carbono gerado por motores a diesel. No entanto, os nazistas desejavam maior eficiência nos extermínios, e a saída encontrada para isso foi o gás Cyklon B.

Na época em que chegamos a Bergen-Belsen minha avó e alguns primos já haviam sido deportados para Sobibor, um campo de extermínio localizado na Polônia, onde ocorrera uma tentativa de fuga por parte de prisioneiros – a única tentativa desse tipo. Os prisioneiros planejaram matar todos os guardas e fugir. No entanto, no dia 14 de outubro de 1943, o dia do plano, após a morte de alguns militares da SS, a operação foi descoberta e apenas uma pequena parte dos prisioneiros conseguiu fugir; outros foram capturados e mortos e aqueles que não fugiram e permaneceram no campo também foram mortos pela SS. Afinal, se um deles sobrevivesse, poderia contar ao mundo os horrores que havia vivido. Hoje, com os registros pesquisados, sabemos que minha querida avó Marie foi deportada no dia 23 de abril de 1943 para Sobibor e veio a falecer lá. Na época da guerra, não sabíamos o que havia acontecido àqueles deportados para outros campos.

A falta de informações proporcionava uma sensação horrível. Pessoas desapareciam – pessoas que você ama, com as quais você convivia todos os dias – e não havia nada a fazer. Começávamos a imaginar o que poderia ter acontecido, mas não havia rastros. E estávamos vivendo a mesma situação, também sem ter certeza do que nos aconteceria no futuro próximo. O que seria feito de nós?

Parece curioso para a geração de hoje que não se soubesse ao certo o que estava acontecendo na época. Todavia, deve ser lembrado que os tempos eram outros, a comunicação não funcionava como hoje. Os campos de concentração, especialmente os de extermínio, situavam-se em lugares afastados da população; eram localizações geralmente inóspitas. Além disso, quando alguém aparece armado em sua casa, e as leis e muitas pessoas estão contra você, não há muito o que fazer, não há como resistir. Os nazistas não queriam deixar rastros que pudessem acabar com seus planos.

É incrível como essa situação faz com que seu medo se multiplique à medida que outras pessoas que você ama tornam-se tão indefesas quanto você. Ao cruzar a entrada de Bergen-Belsen, senti um terror em meu peito sabendo que eu teria que lutar pela minha vida ao mesmo tempo em que viveria constantemente preocupada com a segurança de meu pai, de minha mãe e de meu irmão. Deveríamos todos seguir juntos, permanecer juntos e em segurança até que pudéssemos ter nossa situação alterada. Meu Deus, quando essa horrível guerra, que estava devastando toda a Europa, teria fim?

O campo de Bergen-Belsen fora estabelecido em 1940, inicialmente como um local exclusivo para prisioneiros de guerra. Em abril de 1943, a SS de Himmler assumiu o controle, transformando-o inicialmente em um campo residencial e, posteriormente, em um campo de concentração.

Os campos eram divididos em subcampos, que funcionavam em diferentes períodos. O campo de residência, que funcionou até abril de 1945, era dividido em quatro campos menores: Campo Especial (*Sonderlager*), Campo Neutro (*Neutralenlager*), Campo Estrela (*Sternlager*) e o Campo Húngaro (*Ungarnlager*). No Campo Especial havia judeus com passaportes de imigração de outros países, especialmente países da América do Sul. A maioria daqueles que estavam nesse campo não sobreviveu, muitos foram enviados para Auschwitz-Birkenau e foram mortos na câmara de gás. O Campo Neutro era composto por judeus europeus com nacionalidades de países neutros na guerra, como era o caso da Espanha e da Turquia. As condições desse campo eram tidas como boas, e diz-se que os prisioneiros dessa ala não eram tratados com tanta crueldade.

O Campo Estrela, maior do que os outros, era para os judeus que constavam na lista Palestina, teoricamente devendo estar em melhores condições. Os judeus nesse campo eram "produtos" para os alemães e deviam ter uma aparência adequada para serem colocados para troca. Além disso, a Alemanha queria manter a Cruz Vermelha longe dos campos, assim poderia fazer o que bem entendesse evitando retaliações de outros países e sem difamar sua imagem internacionalmente. O campo húngaro reunia judeus húngaros que Himmler planejava trocar também, mas por dinheiro ou produtos.

O campo de prisioneiros consistia do campo de prisioneiros original, além do Campo de Recuperação (*Erholungslager*), Campo Pequeno de Mulheres (*Kleines Frauenlager*), Campo de Tendas (*Zeltlager*) e o Campo Grande de Mulheres (*Großes Frauenlager*). Toda essa estrutura não era interligada, e os prisioneiros não podiam transitar de um campo para o outro. Dessa forma, mesmo que pessoas que você conhecesse estivessem no mesmo campo, poderiam nunca se encontrar. Depois da guerra, tive contato com vários conhecidos que também estiveram em Bergen-Belsen, mas que na época não sabíamos. Realmente, aquele lugar era uma grande prisão.

Não estávamos em um campo de extermínio, no entanto, percebi que ali havia um crematório. Certamente, um lugar que tem um crematório não está esperando que as pessoas fiquem vivas durante um longo período.

Certamente, um lugar que tem um crematório não está esperando que as pessoas fiquem vivas durante um longo período.

Ao entrar no campo, tomamos banho em chuveiros gelados. Não poderia haver constrangimento maior, deveríamos tirar nossas roupas e tomar banho na frente dos outros, não importava quanto nos sentíssemos incomodados, invadidos com essa situação. Água quente, sabonete de qualidade, toalha para nos secar? Tudo isso era um luxo a que jamais teríamos direito. Estava claro desde a nossa chegada, pelos xingamentos e pelo modo como nós, judeus, éramos tratados, que não havia dignidade ali. Não importava sua história, quem você era, o que havia conquistado – ali éramos vermes nojentos.

Depois do banho deveríamos seguir para o registro. Desde as primeiras impressões que tive em Bergen-Belsen, me chamou a atenção o fato de que não havia passarinhos voando e cantando. Era muito curioso, pois estávamos em uma região bem arborizada, com muito verde no verão, e mesmo assim a natureza parecia não dar sinal de vida. Mas, também, que tipo de canto seria inspirado por esses arames farpados, torres de vigilância, armas e rostos amedrontados? Sem dúvida, não seriam as belas canções de pássaros em liberdade. A natureza manifestava sua opinião, sua consternação em relação ao que acontecia em Bergen-Belsen, em relação ao que acontecia naquela época terrível.

No registro deveríamos dizer nossos nomes e de onde éramos. Será que eles se importavam com o fato de eu ser Nanette Blitz, nascida na Holanda, e que gostava muito de fazer ginástica? Será que se importavam com o fato de o meu pai ser um homem inteligente e ter, até então, uma carreira promissora nos negócios? Não, não havia a menor importância; éramos apenas um número em toda aquela imensa operação.

Como estávamos na lista Palestina, ficaríamos no Campo Estrela. O campo tinha esse nome pois deveríamos continuar utilizando a Estrela de Davi amarela, que nos caracterizava como judeus. Além disso, poderíamos manter nossas roupas e não teríamos os nossos cabelos raspados nem um número tatuado na nossa pele. Éramos considerados portadores de um privilégio, pela possibilidade de sermos trocados e seguir em direção a um lugar distante de Bergen-Belsen. No entanto, essa possibilidade mostrou-se uma ilusão, pois, efetivamente, foram poucos os prisioneiros libertados nessas condições.

Todos os que estavam nos outros campos não poderiam permanecer com suas roupas: deveriam utilizar aquelas vestes com aparência de pijamas listrados. Imagine utilizar a mesma roupa todos os dias, sem nenhuma outra opção? Com o tempo, a situação ficava realmente repugnante. Apesar de nunca as ter utilizado, deve ser por isso que não consigo gostar de nenhuma roupa listrada até hoje. Essa é apenas uma das infames lembranças que colecionaria ao longo da minha vida em decorrência da passagem em um campo de concentração.

Como disse, ao contrário de Westerbork, que era mais administrado pelos judeus-alemães, Bergen-Belsen era administrado pela SS de Himmler, conhecido pela sua frieza e crueldade. Certamente, não haveria mais um comandante ao estilo de Gemmeker, que assistia às peças encenadas pelos judeus de Westerbork. Desde o momento em que pisamos fora do trem, a caminhada, o registro, tudo era metodicamente realizado – inclusive o desrespeito conosco. Ficou claro para nós que ali nada era improvisado. Aquela máquina estava funcionando com todas as pecinhas no lugar cumprindo seu papel. Estávamos em contato com verdadeiros robôs que seguiam cegamente a estratégia e a doutrina de Hitler.

Após o registro e o banho, deveríamos seguir para o nosso campo e nosso barracão, sendo que eu e minha mãe fomos para um alojamento, e meu pai e meu irmão para outro, pois, novamente, homens e mulheres deveriam dormir separados. Realmente preferia que todos pudessem ficar juntos; assim me sentiria mais segura. Não ter o meu pai e o meu irmão comigo significava me preocupar com eles nos momentos em que deveríamos nos separar.

Logo de cara percebi que o nosso barracão era maior do que o que tínhamos em Westerbork; havia mais mulheres também. Era extenso, com diversos beliches um ao lado do outro. Mais uma vez, não haveria privacidade. Na nossa antiga casa eu tinha um quarto só para mim, com uma cama quente, limpa e confortável. O que eu e todos aqueles que deveriam viver naquele lugar tínhamos eram beliches duros de madeira forrados com palha. Essa decoração de palha deve ter sido inspirada nas estrebarias de fazenda – era o máximo que merecíamos.

O que eu e todos aqueles que deveriam viver naquele lugar tínhamos eram beliches duros de madeira forrados com palha.

A maioria das pessoas no alojamento e no Campo Estrela era da Holanda. Havia algumas de outras nacionalidades, vindas da Tunísia, Iugoslávia e França, mas eram grupos pequenos. Imagine a Torre de Babel que era um campo de concentração: poloneses, tchecos, húngaros, alemães. Alguns não se entendiam, outros conseguiam se entender um pouco, talvez o suficiente. O importante, no entanto, era que todos entendessem os alemães nazistas. Na nossa barraca, isso era mais tranquilo, pela quantidade de holandesas. Eu, no entanto, poderia me comunicar em algumas línguas: além do holandês, havia o alemão, o inglês pela educação da minha mãe e nossa família na Inglaterra e um pouco de francês, que havia estudado na escola.

Era deprimente olhar aquele lugar, tão cinza, com um aspecto péssimo, e imaginar que deveríamos ficar ali por tempo indefinido, sem saber o que seria de nós. Não poderíamos chamá-lo de casa, era estranho utilizar o verbo "morar" em Bergen-Belsen, porque em nada Bergen-Belsen lembrava o aspecto de uma casa. Sem dúvida, um campo de concentração não era construído para deixar seus prisioneiros confortáveis e tranquilos.

Nos alojamentos ficavam também os pertences das pessoas que estavam ali. Guardado em mochilas ao longo da barraca estava tudo o que pudemos levar da nossa vida inteira. Era uma imagem curiosa para mim: ao mesmo tempo em que parecia que todos estavam prestes a pegar suas coisas e ir embora, eu me lembrava que isso não seria possível, pois estávamos presos naquele lugar, naquela situação. Então, devia-se permanecer onde estava com as poucas coisas que ainda possuía.

Eu dormiria em um beliche, próxima à minha mãe. Devido aos meses que passamos em Westerbork, de certa forma aquela situação não era novidade para mim: lá também dormíamos em beliches, dividíamos a vida com pessoas que não conhecíamos e lá também meu pai e meu irmão dormiam em barracas separadas. Porém, eu já conhecia a vida em Westerbork e ela não havia nos imposto tantas privações. Claro, também estávamos longe da nossa casa, do restante da nossa família e de nossa vida. No entanto, as circunstâncias não nos privariam da sobrevivência nem testariam nossos limites, como ocorreria em nossa nova habitação.

Apesar da grande ansiedade em que estávamos, dormi logo pelo cansaço da viagem. Estar naquele barracão, em Bergen-Belsen, era o começo de uma nova vida para mim. Toda a forma de vida que eu conhecia e achava que era minha não existia mais. A ansiedade e a incerteza em relação ao futuro eram constantes. No entanto, quando você se encontra em um campo de concentração, sua principal preocupação é sobreviver ao dia. Não pensávamos mais em anos, mas no que cada dia reservaria para nós.

O que uma garota tão jovem, como eu era na época, espera do futuro? Ir para a escola, aprender, crescer, encontrar os amigos, para que no futuro possa estar preparada para enfrentar a idade adulta, casar e formar uma família. A maior preocupação que uma jovem tem é ir bem nos estudos e ser uma boa filha para os pais. Eu só podia ansiar pelo que Bergen-Belsen guardava para nós, e era isso o que estávamos prestes a descobrir.

CAPÍTULO 4

O DIA A DIA NO CAMPO

A vida em um campo de concentração está além do compreensível. Apenas quem passou por essa situação consegue dimensionar com exatidão o horror, a incerteza, a insegurança e a anormalidade de tudo isso. Muitas vezes, nem quem passou por isso sabe exprimir o que vivenciou, pois faz de tudo para apagar qualquer vestígio desses tempos da memória. Um dia, sem termos cometido nenhum delito, eu e minha família fomos enclausurados e isolados da sociedade. Esse destino é concebido somente àqueles que não conseguem viver em comunidade. Qual crime havíamos cometido para estar ali? Ser judeu tornou-se um crime, e nós iríamos sofrer por isso.

Sempre tivemos uma vida normal, saudável, de classe média na Holanda. Meu pai havia se consolidado como um bom profissional, minha mãe era uma ótima pessoa e educadora e, incentivados pelos nossos pais, eu e meu irmão estudávamos para também sermos pessoas boas. No entanto, tudo que era normal em nossa vida foi tirado de nós, arrancado sem nenhuma justificativa plausível ou esperança de quando nos seria devolvido, ou mesmo esperança de que algum dia tudo ficaria bem novamente.

Em nossa rotina passada, quando acordávamos, íamos lavar o rosto, tomar café da manhã e seguir com nossos afazeres. Em um campo de concentração não havia mesa para tomar o café da manhã, toalha para secar o rosto ou escova de dentes. Em nossa vida normal, às vezes nem notávamos a importância dessas pequenas coisas, e o bem que nos faziam. O choque da comparação é algo assustador: você perde o chão. Quando me lembro desses dias no campo, assim como outros sobreviventes, não consigo traduzir em palavras. "Horrível" é a única definição que me vem à mente.

Passar por um campo de concentração faz com que seus valores mudem.

Passar por um lugar como esse faz com que seus valores mudem: você não é mais o mesmo depois de uma situação dessas. Tantas coisas na nossa vida a que muitas vezes não damos valor, ou nem prestamos atenção, mostram-se tão importantes quando nos são tiradas. E quando isso acontece, há um vazio, como se nada mais fizesse sentido. O chão some porque tudo que era seguro também desaparece.

E se a vida no campo de concentração não parecia nada com uma vida normal, como eu poderia descrevê-la? Haveria qualquer coisa parecida com a rotina normal em um lugar como esse? Nossa rotina agora era a luta pela sobrevivência, era isto que se deveria fazer todos os dias: lutar cada segundo para poder sobreviver.

Essa postura exigia uma vigilância constante a cada passo e atitude para não "pisar em falso", e deve ser levada junto a um medo e ansiedade sem-fim. O período relativamente tranquilo em Westerbork não existia mais – Bergen-Belsen seria a luta diária pela vida, e sabíamos disso desde os primeiros momentos lá.

Ali, o nazismo mostrava sua face mais cruel, como ele realmente era, conforme seus objetivos perversos. A rotina do lugar dependia do humor dos soldados, que estavam lá para deixar a nossa vida tão horrível quanto fosse possível. Diariamente, ocorriam as contagens (*Appel*). Para que serviam aquelas contagens constantes e que não pareciam ter fim? Não fazíamos ideia, assim como não entendíamos muito do que passamos ali.

Em cada barracão havia uma pessoa que era encarregada de se certificar que todos seguiriam para a contagem. Não havia o que contestar, todos deveriam se apresentar para aquela operação. Seguíamos, então, para uma espécie de praça central, onde todos deveriam ficar enfileirados, à espera que aquele pesadelo terminasse.

Os prisioneiros deveriam participar da contagem mesmo que não tivessem condições para tal. Você poderia estar doente, não conseguir se locomover direito, não importava: deveria estar ali ou era morto. Os nazistas também não se importavam com o clima: a contagem ocorria mesmo embaixo de chuva ou no frio de um inverno insuportável. E por que eles se importariam com o frio? Eles estavam aquecidos e protegidos em seu uniforme, apenas os prisioneiros deveriam se virar com o frio.

A contagem era algo que poderia durar horas e horas sem-fim, um pesadelo. Eles contavam todos os presos do campo e, se por algum motivo perdessem a contagem, começavam tudo de novo. Lembro que uma vez estava tão frio que um prisioneiro teve os pés congelados e não houve jeito, precisou amputar os dedos. Imagine você ter que perder seus dedos por algo que não fazia o menor sentido: isso era o que vivíamos constantemente.

Minha memória remete a horas intermináveis de espera nessa situação, sem poder me mexer. Não bastassem os nazistas fazerem isso conosco, ainda levavam seus cães ferozes para participar daquele espetáculo deprimente. Aqueles cães eram treinados para matar: os soldados que ficavam com eles tinham uma faixa grossa enrolada em seus braços para não haver ferimento em caso de mordida. É possível imaginar então o que aconteceria com uma pessoa que não estivesse com a menor proteção e sofresse uma mordida de um daqueles cachorros.

Aqueles cães eram treinados para matar: os soldados que ficavam com eles tinham uma faixa grossa enrolada em seus braços para não haver ferimento em caso de mordida.

Fico me perguntando se faziam tudo isso apenas para brincar com nossa sanidade mental e nos deixar ainda mais aterrorizados. Era impressionante o grau de crueldade daqueles seres humanos. Eles não se compadeciam com nada, por pior que fosse. Eles estariam contabilizando a quantidade de pessoas que já tinham morrido? Certamente, se alguém morresse ali no meio da contagem, não se importariam, como já não se importavam com nada. Eles estariam garantindo que nenhum de nós havia fugido? Não havia possibilidade de fuga daquele lugar.

Tudo que era feito ali e nos outros campos de concentração era realizado em escala industrial, para que funcionasse perfeitamente. A quantidade de trens que realizava a deportação, o número de prisioneiros, os procedimentos em cada campo e até mesmo os maus-tratos a que os encarcerados eram submetidos: era uma imensa fábrica de atrocidades.

Tudo que era feito ali e nos outros campos de concentração era realizado em escala industrial, para que funcionasse perfeitamente.

Quando chegamos em Bergen-Belsen, quem liderava tudo isso era o comandante Adolf Haas. Antes de sua chegada em Bergen-Belsen, Haas comandara o campo de Niederhagen, um dos menores campos de concentração nazistas. Ele foi fechado em 1943, e Haas foi então enviado para Bergen-Belsen. Dá para perceber que o que se sucedeu no Holocausto só foi possível por causa da quantidade de pessoas envolvidas na operação. Quando se fala sobre Holocausto e Nazismo, o primeiro nome associado é o de Adolf Hitler, o líder de tudo isso. No entanto, cada engrenagem tinha um papel significativo para que tudo funcionasse corretamente. Joseph Goebbels, o ministro da Propaganda, por exemplo, era também uma pessoa extremamente antissemita. Era ele quem disseminava por toda a Europa as ideias do Partido Nazista, incluindo o ódio contra os judeus. Hitler não teria conseguido fazer tudo sozinho: milhões de pessoas cegas e doutrinadas pelas ideias do Führer – ideias que muitas vezes já tinham sementes próprias também – foram necessárias para que todo o horror acontecesse.

Bergen-Belsen não era um campo de extermínio, mas suas condições não davam espaço para a sobrevivência. O que é preciso para sobreviver? Comida adequada, boas condições de higiene, segurança – condições que não se encontravam em Bergen-Belsen ou em qualquer outro campo de concentração. A intenção era que as pessoas fossem exaurindo-se aos poucos, que não tivessem mais força para viver.

Em Westerbork havia comida suficiente para não passar fome, situação que não encontramos mais, pois em Bergen-Belsen recebíamos comida só uma vez por dia – quando recebíamos. Quando havia comida, deveríamos nos reunir em uma fila para pegar o pouco alimento disponível: uma espécie de sopa de nabos e um pão simples. Tivemos de nos acostumar a ficar bastante tempo sem uma refeição de verdade.

Só quem sofre de desnutrição sabe o efeito que isso pode ter no corpo. Sua força começa a se esvair, começamos a enfraquecer e definhar aos poucos. Sempre que podia eu estava perto da minha mãe, do meu pai e do meu irmão, e fui percebendo que apresentávamos cada vez mais uma aparência abatida, como todas as pessoas no campo. O ser humano não sabe até que ponto pode aguentar ficar sem comida e, ao mesmo tempo, percebe-se fazendo qualquer coisa para se alimentar. Essas situações permitem que se descubra muito sobre o espírito humano e sua capacidade de luta pela sobrevivência.

Lembro que, como quase não tínhamos alimento, falava-se muito de comida no campo. Os prisioneiros reuniam-se e ficavam sonhando com o que comeriam quando saíssem daquela condição, o que sempre envolvia enormes banquetes. Muitas receitas eram recitadas de cor. Essa era uma forma de afastar a realidade dura, mesmo que por alguns instantes, e voltar a acreditar que poderia existir uma vida além dali, uma vida com a qual poderíamos também sonhar.

Outra forma de tentar afastar a realidade era estar com as crianças. Ajudar a cuidar delas e contar histórias, para que elas pudessem sonhar também, era ajudar a si mesmo. Muitas mulheres tomavam conta das crianças, especialmente das que ficaram órfãs. Esses momentos, no entanto, não faziam com que elas não guardassem traumas daquelas situações. Mesmo quando eram muito pequenas, elas tinham sensibilidade para registrar o que acontecia ali.

Além da falta de comida, outra questão crítica em Bergen-Belsen era a total falta de higiene. As latrinas ficavam cada vez mais sujas, à medida que mais pessoas chegavam ao campo. Sempre que me lembro dessas latrinas sinto um extremo nojo, ojeriza a tudo aquilo. Pode parecer difícil para uma pessoa com um banheiro limpo e adequado imaginar a situação, mas tente pensar em uma quantidade enorme de pessoas usando a mesma latrina suja vezes a fio. O cheiro de podre e azedo era algo insuportável, e mesmo assim deveríamos aprender a conviver. Também não havia sabonetes para tomar banho e tentar ficar um pouco mais limpos.

Conviver com a falta de higiene é algo que tira a dignidade de qualquer ser humano. Quando se é obrigado a viver em um ambiente desses, sente-se extremamente humilhado. Aquela sujeira em que éramos deixados mostrava o nosso valor: nada! Éramos nada. Ou pior: éramos os vermes da sociedade para os nazistas, e eles faziam questão de nos tratar como tal.

Conviver com a falta de higiene é algo que tira a dignidade de qualquer ser humano. Quando se é obrigado a viver em um ambiente desses, sente-se extremamente humilhado.

E, além do aspecto psicológico, afeta o corpo. Nossa saúde piorava a olhos vistos pela precária situação de higiene e também pela falta de nutrientes. Qualquer campo de concentração era um antro de doenças; Bergen-Belsen não era diferente.

Também lá as pessoas sofriam muito por causa dos piolhos, mas não eram aqueles que ficam alojados apenas na cabeça. A degradação era tamanha que os piolhos tomavam conta do corpo inteiro dos prisioneiros. Era uma sensação horrível ter aqueles bichinhos incômodos e nojentos andando por todo o corpo, sem nunca querer sair. Os piolhos de corpo infestam roupas, lençóis e roupas de cama, e são atraídos pela falta de limpeza regular. Logo, os campos de concentração eram um terreno muito fértil para sua proliferação.

Como isso era muito incômodo, tentávamos ficar limpos com os poucos recursos que tínhamos. Lembro que passávamos um tempão tentando tirar esses piolhos das nossas roupas. Era algo que realmente demorava, pois você tinha que ficar caçando aqueles bichinhos pequenos nas roupas e retirar um a um com as próprias mãos.

Os piolhos, no entanto, eram apenas um dos incômodos daquela situação. Diversas outras doenças se espalharam pelo campo, deteriorando a saúde dos prisioneiros. Para piorar o problema da falta de higiene, muitos prisioneiros tinham diarreia. Se isso já é um inconveniente em uma situação normal, imagine naquelas condições. Eu não cheguei a ter, mas minha mãe teve algumas vezes. Dá para imaginar a situação de ter que seguir para a contagem com diarreia, sem ter previsão de quanto tempo aquilo demoraria? Não havia compaixão, era essa exatamente a intenção: lembrar-nos de que não representávamos nada, não éramos nada e, por isso, não havia direitos para nós.

Além da diarreia, muitos prisioneiros contraíam tifo. Era outra doença causada pela falta de higiene, superlotação, entre outros fatores. O tifo deixava as pessoas muito fracas. Aqueles que contraíam a doença sentiam dor de cabeça, indisposição e náusea. Lembro que havia um enorme terreno perto do campo e que os nazistas não permitiam que nenhum prisioneiro pisasse lá. Eles queriam evitar que as enfermidades do campo infestassem as populações vizinhas, pois as doenças só deveriam afetar os "vermes imundos", não os representantes da raça ariana.

E tudo isso acontecia, obviamente, sem a disponibilização de um tratamento médico adequado. Naquele lugar, era preciso torcer para não ficar doente, o que era quase impossível devido àquelas condições e, se ficasse, tinha que torcer para melhorar logo. Não bastasse estarmos em um período de guerra, que já fazia com que os suprimentos como alimentos e medicamentos ficassem cada dia mais escassos, ainda estávamos em um campo de concentração. Medicamento era um artigo de luxo, já que não tínhamos sequer comida.

Era impressionante observar a transformação das pessoas ao longo dos dias no campo. Conforme o tempo passava, todas iam definhando diante dos nossos olhos. Era como se sua humanidade fosse arrancada aos poucos. A cada dia, todos iam enfraquecendo e ficando mais magros e doentes. Era uma situação de desesperança – todos eram entregues à sua própria sorte.

Era como se sua humanidade fosse arrancada aos poucos. A cada dia, todos iam enfraquecendo e ficando mais magros e doentes. Era uma situação de desesperança - todos eram entregues à própria sorte.

E a falta de esperança só aumentava, pois não havia notícias do que estava acontecendo. Estávamos enclausurados, sem contato com o mundo exterior, sem qualquer notícia que fosse. Não havia rádio, jornais, nada. O pouco que sabíamos era pelas pessoas que chegavam ao campo. Ficávamos então vivendo um dia após o outro naquela situação, sem informações sobre quando algo poderia ser alterado, ou se havia algum tipo de esperança de sair dali.

Não sabíamos, por exemplo, que naquele ano de 1944 a guerra continuava a todo vapor, mais intensa do que nunca. Tropas das potências do Eixo, compostas pela

Alemanha, Itália e Japão, estavam em combate ao longo de todo o território europeu, e também além dele, com as forças dos Aliados, formadas pelos Estados Unidos, Reino Unido e União Soviética. O próprio Brasil aderiu à guerra naquele ano: em julho, os "pracinhas" brasileiros desembarcaram na Itália para lutar ao lado dos Aliados. Os brasileiros conseguiriam vitórias contra os alemães em cidades estratégicas do país, que viriam a ser importantes no auxílio da libertação da Itália, que ocorreria só em abril de 1945.

Enquanto a guerra continuasse indefinida, não havia sinal de libertação para os prisioneiros de Bergen-Belsen. Aquele lugar era um imenso buraco negro para mim. As pessoas foram morrendo devido às condições precárias em que se encontravam, e eu não parava de temer pela minha vida e a da minha família. Convivíamos lado a lado com a morte, e não era possível deixar de se perguntar se você seria o próximo cadáver a seguir para o crematório. No entanto, era preciso sobreviver.

Nesse cenário deprimente e desesperador, os prisioneiros procuravam se unir o máximo que conseguiam. Já que os alemães nos importunavam e tentavam acabar com a nossa vida, faríamos o contrário e nos ajudaríamos. Havia um senso de comunidade entre os prisioneiros, especialmente entre aqueles que eram dos mesmos países; um cuidava do outro nas situações em que eram possíveis.

Cada dia era uma luta pela sobrevivência. No entanto, era uma luta na qual não se sabia direito como reagir. Estávamos vivendo uma realidade imposta, sem o direito de reagir. Não havia outra saída a não ser seguir em frente, evitando ao máximo possíveis problemas. Estávamos no escuro, cegos, pois nunca se sabia qual era o humor dos nazistas: você poderia estar parado sem fazer nada e mesmo assim incomodá-los. Era algo inexplicável: a nossa simples existência já os incomodava.

Os militares da SS pareciam ter muito prazer com aquele trabalho que lhes fora conferido. Eles faziam de tudo para que a nossa vida naquele local virasse um inferno e sempre que se dirigiam a um de nós era por meio de insultos, humilhações e ameaças. Não podíamos exigir um tratamento digno, não havia essa possibilidade, e tínhamos que conviver com isso caso quiséssemos continuar vivos.

O mais chocante de tudo era que os nazistas cometiam as brutalidades com consciência limpa, pois, de acordo com o que acreditavam, estavam realizando um trabalho em prol da Alemanha.

O mais chocante de tudo era que os nazistas cometiam as brutalidades com consciência limpa, pois, de acordo com o que acreditavam, estavam realizando um trabalho em prol da Alemanha. Quando uma ideologia se torna tão entranhada a ponto de sustentar barbaridades para um objetivo abominável, é algo alarmante para qualquer sociedade.

Uma das formas que constantemente utilizavam para atormentar nossa vida ali era nos fazer trocar constantemente de alojamento. Não havia a menor explicação: eles nos informavam daquele jeito nada agradável que deveríamos pegar nossas coisas e seguir para onde haviam nos mandado. No entanto, não deveríamos sair sem antes deixar tudo organizado da forma que eles exigiam, conforme suas regras.

Sempre que faziam isso era um incômodo para nós. Não bastasse termos que ficar diariamente, durante horas, em pé durante a contagem, aguentar ameaças constantes, falta de comida e de higiene, ainda ficávamos indo de um lado para o outro como se algo fosse acontecer – mas nada acontecia. Vivíamos em um estado de estresse constante, cada segundo do dia parecia nos desafiar ainda mais.

Eu não sabia, ou não imaginava o quanto, mas os nervos do meu pai estavam sendo bastante desafiados. Ele passou a trocar comidas por cigarro, deixava de comer o pouco que tinha para poder fumar. Era muito comum presenciar essa situação em campos de concentração e a espécie de comércio paralelo que ocorria. Como não havia como sair dali, os prisioneiros faziam trocas com o que possuíam de valor. Comida era um artigo de alto valor em Bergen-Belsen, então quem quisesse uma roupa, por exemplo, juntava comida para a troca. No caso do meu pai, ele decidiu que, para ele, era mais importante fumar.

Os nazistas também afligiam a vida dos prisioneiros por meio do trabalho. Eu, meus pais e meu irmão não precisávamos trabalhar porque estávamos na lista Palestina. Eventualmente, eu fazia alguns trabalhos na parte externa do barracão, pintando ou consertando algo daquela precária estrutura. Para outros prisioneiros que

Os judeus faziam trabalhos absurdos e sem objetivo nenhum senão castigar. Carregar pedras e depois colocá-las de volta na posição anterior, por exemplo, era comum.

deveriam trabalhar, no entanto, a atividade tornava-se outro tormento. Os judeus faziam trabalhos absurdos e sem objetivo nenhum senão serem castigados. Carregar pedras e depois colocá-las de volta na posição anterior, por exemplo, era comum.

Aqueles que deveriam trabalhar faziam isso exaustivamente, horas a fio, sem nenhuma condição adequada. Embora aquele não fosse um campo de extermínio, com uma câmara de gás que dizimaria as pessoas logo em sua chegada, as condições estabelecidas eram tão terríveis que os prisioneiros iam definhando. A intenção era de que todos morressem aos poucos, e não faltavam motivos para que isso acontecesse.

Pouco depois de termos chegado em Bergen-Belsen, um casal de tios e duas priminhas também chegaram. Esse tio, na verdade, era primo do meu pai. As crianças eram tão pequenas – tinham 1 e 7 anos na época –, tão indefesas, e já sofriam com aquela horrível situação. Havia algumas crianças tão pequenas que nos perguntávamos se estariam compreendendo o drama, se guardariam marcas para sempre. No entanto, o passar dos anos mostrou que mesmo aquelas pequenas crianças, quando adultas, carregaram traumas pelo que viveram ali.

Eu não sabia na época, mas havia outra colega minha e da Anne do liceu judaico que se encontrava também em Bergen-Belsen. Hannah Elisabeth Pick-Goslar, ou "Lies Goosens" como fora chamada no *Diário de Anne Frank*, também passara por Westerbork com seu pai e sua irmãzinha, e juntos foram deportados para Bergen--Belsen. Ela estava em outro campo, por isso nunca nos encontramos lá dentro.

Certa vez, minha mãe também encontrou um rabino no campo que poderia ser da sua família. Lembro que eles ficaram um enorme tempo discutindo se realmente faziam parte da mesma árvore genealógica ou não e, no final, concluíram que sim. Minha mãe e o rabino acordaram que ambos tinham semelhança da linhagem dos Davids. Mais tarde, eu vim a descobrir que essa família era da Espanha, da época da Inquisição. A família da minha mãe era muito numerosa: parte estava na Inglaterra, parte na Holanda e também na África do Sul, onde minha mãe nascera.

A religião era um aspecto que, apesar de tudo, também fazia parte do campo. Era curioso observar que havia dois caminhos que as pessoas mais religiosas seguiam: ou ficavam mais fervorosas, mantendo sua prática e devoção, ou então desacreditavam totalmente em Deus e passavam a não crer mais em um ser superior.

Era muito comum que, depois de viver em campo de concentração, alguns negassem a existência de Deus. Diante de todo aquele sofrimento, diante de tudo aquilo que estava acontecendo com o povo judeu e outras minorias consideradas inferiores pelos alemães, muitos se perguntavam: onde estaria esse Deus que havia deixado tudo aquilo acontecer? Como permanecer com fé, assistindo a toda a desgraça que presenciávamos?

Diante de tudo aquilo que estava acontecendo com o povo judeu e outras minorias consideradas inferiores pelos alemães, muitos se perguntavam: onde estaria esse Deus que havia deixado tudo aquilo acontecer?

Certamente, esse era um questionamento viável para aqueles que sofriam.

Apesar de os judeus serem as principais vítimas do ódio nazista e de todo o sistema de destruição que operavam, não eram os únicos a sofrer: nessa época também foram perseguidos e enviados aos campos outros grupos considerados "inimigos do Estado". Hitler costumava dizer que tempos de guerra eram ótimos momentos para exterminar "doentes incuráveis". Os nazistas aproveitaram, então, a Segunda Guerra Mundial para avançar com as ideias de "superioridade de raça", que envolvia toda espécie de preconceito.

Além dos comunistas, que eram inimigos políticos de Hitler, os ciganos também eram considerados uma raça inferior. Eles também sofriam com preconceito antes da guerra, assim como os judeus enfrentavam o antissemitismo. As Testemunhas de Jeová, um grupo cristão que realiza a pregação de seus princípios de casa em casa, seguem uma doutrina que afirma que é necessária a neutralidade política, não concordando, portanto, com o serviço militar para um país, algo que desagradou o governo de Hitler.

Os homossexuais também foram enviados a campos de concentração, pois eram vistos como "anormais". Em junho de 1935, o Estado nazista decretou que até mesmo a amizade entre homens homossexuais seria considerada crime. É muito irônico que todas essas atrocidades tenham sido realizadas com base em leis promulgadas e acatadas. Que tipo de leis são essas?

Os deficientes físicos e mentais encaixavam-se no grupo de doentes incuráveis, que deveriam ser eliminados conforme a doutrina nazista. Por isso, muitos deficientes, considerados um fardo à sociedade, foram executados pelos nazistas, com intensa cooperação de médicos alemães. É assustador perceber que Hitler contou com um vasto apoio para conseguir executar seu plano maligno.

O Estado nazista chegou ao poder a partir de um discurso e atitudes radicais desde o início. Claramente, foi um Estado construído para acabar com as diferenças e dominar as pessoas por meio de um discurso com uma perigosa ideologia. Esses feitos de horror que os nazistas estavam praticando eram aceitos e apoiados por grande parte da população alemã, em virtude de um pano de fundo de crescimento econômico. A minha vida em Bergen-Belsen, a nulidade em que os alemães estavam transformando os judeus na Segunda Guerra Mundial, era uma consequência dessa perigosa ideologia. Todo o sofrimento de milhões de pessoas era válido por uma raça ariana superior? Por mais absurdo que seja, muitos compravam essa ideia, muitos achavam que sim.

A figura de Deus passou a ser muito questionada nos campos de concentração. Entretanto, apesar de alguns judeus aprisionados terem passado a negar um ser superior, havia aqueles, entretanto, que permaneciam com a devoção e a fé em suas práticas religiosas. Em Bergen-Belsen, alguns homens mantinham suas rezas e tentavam seguir o calendário judaico. Mas isso foi tornando-se um desafio, à medida que não tínhamos mais pleno conhecimento das datas.

Como não havia calendário, foi ficando mais difícil dizer qual data era ou o dia da semana. Mesmo que soubéssemos o dia exato de nosso aniversário, também não havia o que comemorar. Como poderíamos celebrar a data de nosso nascimento quando havia mais expectativa de morte do que vida? As pessoas faleciam e não havia tempo para lamentar; deveríamos seguir em frente e tentar sobreviver por mais um dia.

Como poderíamos celebrar a data de nosso nascimento quando havia mais expectativa de morte do que vida? As pessoas faleciam e não havia tempo para lamentar; deveríamos seguir em frente e tentar sobreviver por mais um dia.

Aos poucos, os nazistas foram privando os judeus de todos os elementos de uma vida normal: educação, dinheiro, direito a um lar e liberdade. Nos campos, também queriam arrancar o mais profundo de nossa humanidade. A vida em todos os campos de concentração era tão deprimente que as pessoas começavam a se desumanizar: tal era a intenção daquilo, reduzir os prisioneiros a nada. Éramos tratados como se fôssemos animais, não seres humanos. Eles desejavam acabar com nossa força negando comida, com nossa dignidade deixando-nos na sujeira que só aumentava em Bergen-Belsen, e com nosso desejo de viver nos fazendo vivenciar todos aqueles horrores.

Havia também o objetivo de eliminar o conceito de família. Mesmo que os familiares estivessem juntos, não era certo que todos ficariam em segurança. Eles queriam estimular o egoísmo, o conceito de cada um por si, para que não nos importássemos mais com nada nem ninguém.

Em suma, o desejo dos nazistas era tirar de nós a humanidade, o sentimento de sermos dignos de qualquer coisa. Como viam todos os que estavam nos campos de concentração como inferiores, eles desejavam que nós nos sentíssemos assim: afinal, que graça teria se não fôssemos reduzidos ao valor que eles nos aplicavam? Qual a graça se nós mesmos não nos considerássemos inferiores? Eles desejavam que a cada dia, a cada ação desumana que praticassem contra os prisioneiros – fosse pela humilhação física ou por palavras –, os prisioneiros fossem degradando-se até o ponto de não terem mais forças para sobreviver. Assim, eles conseguiriam atingir o objetivo final de exterminar a todos nós.

No entanto, apesar de todas as dificuldades, estávamos resistindo e conseguindo sobreviver. A situação não era nada fácil para mim e minha família, porém, para resistir, tirávamos força de onde nem sabíamos. Apesar de tudo, ainda estávamos vivos.

Assim foram os nossos primeiros meses no campo de concentração. Reduziram-nos a nada e nos privaram de tudo o que havíamos construído até então. Ainda não sabíamos, mas a conjuntura estava prestes a piorar. Dali para frente, suportaríamos situações piores. Porém, o que seria pior do que falta de comida e dignidade? Ainda não sabia, mas iria aprender nessa situação. Bergen-Belsen estava prestes a nos mostrar, de fato, o que era insuportável.

CAPÍTULO 5

Duras perdas

Bergen-Belsen possuía escassos recursos para a sobrevivência dos prisioneiros do campo. Enquanto os nazistas viviam bem alimentados e agasalhados, em casas confortáveis, os prisioneiros precisavam se virar com o que tinham. Esse cenário se agravaria a partir do final de 1944, devido ao desenrolar da guerra e às estratégias do Partido Nazista e da SS.

As pessoas estavam cada vez mais debilitadas. Nós já estávamos no campo há muitos meses, sofrendo com aquela vida de reclusão, muito ansiosos em decorrência da continuidade naquele mundo, naquela situação irreal. Rapidamente, estávamos emagrecendo e apresentando sinais de desnutrição – o que reduz as habilidades mentais e a imunidade, sinalizando perigo.

O norte da Alemanha sofre com invernos rigorosos e, no final de 1944, essa estação se aproximava. Não tínhamos notícias do que acontecia no mundo de fora, mas a guerra estava caminhando para seus momentos finais.

Nessa época, as tropas dos Aliados se alastravam sobre os territórios ocupados pelo Terceiro Reich. Parte das tropas da União Soviética avançava rapidamente pelo Leste Europeu, e os alemães ficavam mais preocupados à medida que os soviéticos tomavam conhecimento dos crimes e dos testemunhos das atrocidades cometidas nos campos de concentração, que possuíam muitos prisioneiros soviéticos. Já os americanos e britânicos avançavam pelo próprio território alemão.

Esse ano foi um dos mais cruéis e intensos do Holocausto. O número de judeus mortos já alcançava a casa dos milhões. Ao longo de todos aqueles anos de guerra, os judeus iam sendo dizimados em campos de extermínio, campos de concentração, fuzilamentos ao ar livre, barbáries em guetos e toda forma de selvageria praticada pelos nazistas. Famílias inteiras desapareceram nessa época da guerra, que parecia interminável. É impressionante e ao mesmo tempo muito triste que pessoas ainda neguem o que aconteceu. Sou uma prova viva de que essa brutalidade não foi fruto da minha imaginação.

Famílias inteiras desapareceram nessa época da guerra, que parecia interminável. É impressionante e ao mesmo tempo muito triste que pessoas ainda neguem o que aconteceu.

O horror era tão real que, com o avanço das tropas do inimigo, os alemães começaram a temer a justiça – afinal, caso vencessem a guerra, os Aliados não deixariam passar impune a destruição causada pelo avanço da Alemanha na ocupação da Europa, pela ambição de Hitler em se transformar no "Imperador" da Europa. A Alemanha já havia estado em uma situação de desvantagem: na Primeira Guerra

Mundial fora responsabilizada pela guerra e por isso foi obrigada a assinar o Tratado de Versalhes, que impôs algumas reparações vistas como prejudiciais pelo povo alemão, como perda de territórios para países fronteiriços, diminuição do exército e impedimento de exploração de recursos econômicos em algumas regiões do país.

No final de novembro, talvez já antecipando a derrota, Himmler ordena o início da destruição dos crematórios de alguns campos de concentração. Para esconder os vestígios de morte e extermínio do campo de Auschwitz-Birkenau, os alemães iniciaram a evacuação dos prisioneiros em 1944, bem como implodiram algumas câmaras de gás, como ocorreu em Sobibor, por exemplo. Apesar disso, os alemães não queriam permitir que os prisioneiros fossem libertados, então o destino de alguns desses seria Bergen-Belsen, na Alemanha.

Deu-se início então às Marchas da Morte. Para que as transferências fossem realizadas, os prisioneiros tiveram que caminhar distâncias extremas sob ameaça de morte dos nazistas. Só haveria descanso caso os guardas desejassem descansar. Caso contrário, aqueles que não conseguissem andar eram mortos pelos homens da SS. Havia também aqueles que seguiriam novamente em vagões de gado extremamente lotados. Durante essas marchas muitos faleceram por não suportarem mais, por não terem forças.

Anne Frank e sua irmã, Margot, também entraram em um trem, no fim de outubro de 1944, com destino a Bergen-Belsen. Estavam já muito enfraquecidas e debilitadas pelas condições no campo de Auschwitz, e a viagem não ajudaria em nada a melhorar a saúde das irmãs. Elas deixaram a mãe, Edith, em Auschwitz e já não tinham mais notícias do pai, Otto. Aquela parecia ser uma guerra sem-fim.

Quando as irmãs Frank chegaram em Bergen-Belsen junto a outras presas de Auschwitz, foi improvisado um campo de tendas para abrigá-las no campo de prisioneiros – espaço era algo que estava cada vez mais escasso. Elas enfrentaram uma imensa tempestade, que destruiu o campo onde estavam alojadas, em novembro de 1944, permanecendo molhadas enquanto enfrentavam um intenso frio durante a noite. Só depois é que foram transferidas para outro local.

Nós não sabíamos de todos esses acontecimentos, mas logo sentiríamos seus efeitos na pele. Estávamos ficando cada vez mais preocupados à medida em que a vida seguia no campo de concentração (se é que poderíamos chamar aquilo de vida) sem que tivéssemos conhecimento do que aconteceria conosco. Minha mãe, no entanto, sempre mantinha as esperanças. Ela tinha um sentimento otimista de que sairíamos daquela situação.

Meu pai não estava tão esperançoso assim; ele ia se abatendo cada vez mais. Praticamente não havia comida disponível. Estávamos literalmente passando fome.

Simplesmente havia dias em que ficávamos sem comer. E, mesmo assim, meu pai ainda trocava a pouca comida que tinha por cigarros – uma troca que não resultaria em nada de bom.

A vida em alguns momentos parece nos pregar peças para verificar até onde podemos aguentar. Uma garota da minha idade não espera perder o seu pai, seu porto seguro. O ciclo natural da vida é perder seu pai somente já idoso, quando já estamos preparados (isso se for possível se preparar) para ver quem amamos nos deixar. Mais uma vez, a vida me colocaria diante da perda, e eu teria de lidar com ela para sobreviver.

Um dia, no final de novembro de 1944, meu irmão procurou a mim e a minha mãe e, muito emocionado e tenso, nos disse: "O papai está morto". Eu não conseguia pensar em mais nada, apenas que meu querido pai havia me deixado. Foi um choque muito duro. Sentíamos profundamente aquela perda em nossa alma e em nosso corpo já fragilizado. Desde que eu perdera meu irmãozinho mais novo eu já tinha conhecimento de que a vida é algo muito frágil e que pode acabar sem o menor aviso. No entanto, você nunca se acostuma com a ideia de perder alguém que você ama, não há preparo para isso.

Um dia, no final de novembro de 1944, meu irmão procurou a mim e a minha mãe e, muito emocionado e tenso, nos disse: "O papai está morto".

Meu pai havia sofrido um infarto fulminante, não houve como salvá-lo. E mesmo se ele não tivesse morrido depois do infarto, como iria sobreviver sem tratamento médico? Sem remédios e condições adequadas? A au-

A ausência de comida, o cigarro e principalmente a situação humilhante de um chefe de família impossibilitado de tirar sua esposa e filhos amados de uma situação de perigo haviam sido sua sentença de morte.

sência de comida, o cigarro e principalmente a situação humilhante de um chefe de família impossibilitado de tirar sua esposa e filhos amados de uma situação de perigo haviam sido sua sentença de morte.

Eu me recordo de olhar em direção à barraca em que ele estava e ver alguns homens carregando seu corpo já sem vida para fora dela – uma imagem da qual nunca vou esquecer. Ali éramos lembrados diariamente de que os judeus não eram seres humanos aos olhos dos alemães. Éramos apenas vermes imundos para eles.

Não havia também tempo de lamentarmos a morte do meu pai, sofrer a perda de um membro da família, isso não importava para os nazistas: era o que eles queriam mesmo. Simplesmente deveríamos continuar sobrevivendo a tudo aquilo.

Além de todo o sofrimento, a morte do meu pai também significou a perda dos poucos privilégios que tínhamos. Constávamos na lista Palestina e estávamos no Campo Estrela em Bergen-Belsen em decorrência de sua influência e boa posição no banco. Agora, não havia mais a justificativa para essas ditas "regalias", então tudo iria mudar. É incrível como em poucos segundos sua vida pode sofrer uma reviravolta tão brusca. Será que ainda é possível piorar, será que ainda é possível ir mais fundo na escuridão? Aprendemos da pior maneira, quando as coisas pioraram novamente.

Também nesse período, no início de dezembro de 1944, chegaria a Bergen-Belsen uma das piores pessoas que já pisara naquele lugar: Josef Kramer, mais conhecido pelos prisioneiros do campo como a "Besta de Belsen". Kramer passou a integrar o Partido Nazista em 1931, entrando posteriormente na SS. Atuou em diversos campos de concentração, como Dachau e, antes de ir para Bergen-Belsen, era responsável pelo controle das câmaras de gás em Auschwitz-Birkenau.

Kramer substituiu o antigo comandante do campo, Adolf Haas, que havia deixado a posição de líder para integrar tropas alemãs. Como as batalhas estavam se intensificando, ele seguiu para o front. Haas não sobreviveria às batalhas, morrendo quase no fim da guerra.

Kramer era conhecido por sua crueldade e frieza. Costumava dizer que "quanto mais judeus mortos, mais ele gostava". Quando questionado se sentia algum remorso ao observar as vítimas morrendo na câmara de gás, como costumava fazer, dizia que não sentia absolutamente nada, afinal, estava apenas cumprindo ordens. A ele realmente faltava qualquer senso de humanidade. Os prisioneiros tinham medo de estar próximos de Kramer, temendo por suas vidas.

Kramer era conhecido por sua crueldade e frieza. Costumava dizer que "quanto mais judeus mortos, mais ele gostava".

Outro integrante famoso da SS que viria de Auschwitz para Bergen-Belsen era, na realidade, uma mulher: Irma Grese. Assim como os homens, as mulheres também eram conhecidas pelos traços de crueldade e frieza. Irma era famosa por tais "qualidades", sendo famosa pelos abusos físicos que cometia contra as prisioneiras, sem a mínima compaixão. Eu não soube de nada na época, mas dizem (inclusive saiu no jornal britânico *The Guardian*) que encontraram no dormitório de Irma um abajur com a cúpula feita de pele humana, pele de judeus que ela matara. Não há palavras em um dicionário que expressem um sadismo desse nível. No entanto, essas eram as pessoas que passariam a integrar a "equipe" de Bergen-Belsen na época.

Poderíamos, infelizmente, permanecer durante páginas e mais páginas contando sobre fatos como esses, pessoas como essas. Josef Kramer e Irma Grese não eram casos isolados, eles faziam parte de um grupo de pessoas doutrinadas para matar das maneiras mais brutais.

De fato, a vida estava um verdadeiro inferno em Bergen-Belsen. Meu pai não estava mais lá entre nós, e nunca mais estaria. Teríamos que nos unir cada vez mais como família para sobreviver àquelas condições. Contudo, isso não foi possível. Não nos permitiriam apoiarmos uns aos outros pela perda, ou mesmo permanecermos juntos, como havíamos ficado até então.

Ficamos poucos dias juntos sem que nada acontecesse. Entretanto, logo tudo mudaria outra vez. No dia 4 de dezembro de 1944, meu irmão Bernard foi, de novo, enfiado dentro de um trem para seguir rumo a outro destino. Eu e minha mãe ficamos desesperadas, tê-lo perto significaria poder certificar-se de que ele estava seguro. No entanto, nosso choro e desespero não eram suficientes para mudar o plano dos nazistas: Bernard foi separado de nós e seguiu para o campo de concentração de Oranienburg, que também ficava na Alemanha, não muito distante de Bergen-Belsen. Não havia como ter ciência do que aconteceria com ele lá, mas ele não tinha a possibilidade de ficar. Muitos outros homens foram transferidos para lá nesse jogo de xadrez que a guerra estava virando.

Minha mãe ficou extremamente nervosa e desesperada com a notícia. Os homens da sua vida lhe foram tirados abruptamente de um dia para o outro. No dia seguinte, eu sofreria outro baque: minha mãe seria transferida para Magdeburgo, também na Alemanha. Ela foi levada para trabalhar exaustivamente, em péssimas condições, em uma fábrica de componentes para aviões. O local de trabalho se encontrava setecentos metros abaixo do nível do chão.

Estávamos em tempos de guerra, e qualquer suprimento era essencial. Os alemães, então, aproveitavam-se dos presos para trabalhar como escravos a favor de seus objetivos de batalha. Para os prisioneiros havia duas possibilidades: ou você era morto pelos nazistas ou trabalhava interminavelmente para suprir as necessidades da guerra deles. E, caso o trabalho não fosse satisfatório, seria eliminado, pois não servia mais.

Eu estava desesperada e não sabia o que fazer. Foi um dos períodos mais difíceis para mim. Eu não sabia de nada sobre o que acontecia com eles, não tinha conhecimento sequer sobre o destino do meu irmão e da minha mãe. Estava sozinha sem imaginar o que aconteceria comigo também: seria eu, assim como eles, transportada outra vez para outro lugar? Ficava me perguntando se veria a minha família novamente, se teríamos uma vida fora de Bergen-Belsen, fora daquele pesadelo.

Mas não havia tempo para lamentar. A partir do dia 5 de dezembro de 1944 eu estava sozinha em Bergen-Belsen, sem minha família, sem certeza de quanto tempo sobreviveria ou se o resto da minha família sobreviveria. A única certeza que eu tinha naquele momento era a de que meu pai estava morto e de que eu ia precisar me virar sozinha para conseguir seguir em frente.

Na verdade, também não ficaria mais no Campo Estrela e seria transferida para o Campo Pequeno das Mulheres: não havia mais nada de lista Palestina ou a possibilidade de troca. A situação, então, passou a ser ainda mais precária, afinal, as condições nos outros campos eram piores do que no Campo Estrela, onde não havia intenção da suposta troca de reféns.

Quando eu já havia sido transferida para o outro campo, outros membros da minha família também faleceram em decorrência das péssimas condições: os primos do meu pai morreram, deixando as filhas pequenas sozinhas. Se eu soubesse disso e estivesse perto, poderia ter cuidado delas, no entanto, não foi possível. Só tomei conhecimento do que acontecera depois da guerra, quando encontrei minhas priminhas novamente. Elas, contudo, não ficaram sozinhas, foram cuidadas pela família Birnbaum, que tomou conta das crianças órfãs no Campo Estrela.

Apesar de a minha prima menor ser muito pequena na época – tinha apenas um ano de idade –, ao longo da sua vida ficou claro que esse período em Bergen-Belsen teve um efeito perverso nela também. Nos perguntávamos se ela tinha idade suficiente para associar tudo aquilo, ou pressentir o que estava acontecendo, mas ela teve desmaios súbitos e problemas psicológicos em decorrência do que vivera. Não haveria escapatória das feridas e traumas para ninguém que esteve ali.

Lembro-me de que o campo para onde fui transferida estava abarrotado. Havia muitas mulheres amontoadas no barracão para o qual fui transferida, e a cada dia chegavam mais prisioneiras. Como iríamos sobreviver naquela situação, sem condições mínimas nem para o número de pessoas que já estava no campo, com aquela quantidade de gente chegando diariamente?

As transferências entre campos foram se intensificando. A população de Bergen-Belsen não parava de aumentar. Na metade daquele ano de 1944 havia no complexo do campo em torno de 7 mil prisioneiros. Em dezembro, havia mais do que o dobro: eram 15 mil prisioneiros jogados à própria sorte para conseguirem sobreviver com o que havia disponível. A quantidade de prisioneiros crescia e, por outro lado, a quantidade de comida, água ou qualquer outro suprimento básico que precisássemos diminuía: os nazistas não iriam disponibilizar mais comida apenas porque havia mais prisioneiros.

Estar viva já se mostrava um milagre para mim, depois de tudo que havia passado. Ainda teria, porém, que lutar muito para sair daquele lugar; sozinha, eu enfrentaria as piores situações e encararia a morte.

A guerra estava caminhando para os seus momentos decisivos, os Aliados organizavam-se cada vez mais para derrotar os países do Eixo. No entanto, não havia alívio ou sinais de esperança: a situação ia ficando mais dramática nos campos de batalha e, principalmente, nos campos de concentração, com a chegada de mais e mais prisioneiros.

Cada dia a mais em Bergen-Belsen era um dia a mais para poder morrer, um dia a mais para lutar pela sobrevivência. Estar viva já se mostrava um milagre para mim, depois de tudo que havia passado. Ainda teria, porém, que lutar muito para sair daquele lugar; sozinha, eu enfrentaria as piores situações e encararia a morte. Eu já havia chegado até ali, não iria desistir de viver. O ano de 1945 seria um ano decisivo na minha vida e na guerra.

CAPÍTULO 6

Reencontro com Anne Frank

Em janeiro de 1945 as coisas começaram a ficar realmente desesperadoras em Bergen-Belsen. Eu me questionava constantemente se sobreviveria a tudo aquilo. Se antes era difícil viver ali, agora já beirava o impossível, pois não havia condições de alojar mais nenhum prisioneiro e mesmo assim não paravam de chegar remanescentes de outros campos de concentração nazistas e mantinha-se a mesma rotina de contagens, maus-tratos e trabalho forçado. Era uma ansiedade que não findava.

Estar sozinha ali mudou ainda mais a minha percepção em relação à sobrevivência. Eu não tinha mais a proteção dos meus pais e do meu irmão. Por mais que eles estivessem tão debilitados quanto eu, tê-los por perto me deixava mais tranquila e segura. Apesar de tudo, o amor por eles me mantinha em pé. Agora eu deveria me virar sozinha, e isso fazia com que eu temesse ainda mais ficar doente ou qualquer evento que me fizesse perder a consciência, afinal, quem iria cuidar de mim se algo assim acontecesse?

As condições de higiene eram deploráveis e já havia escassez de comida quando havia um número razoável de pessoas; agora, com a superlotação, a situação era insuportável. A saúde de todos estava muito debilitada para terem forças para suportar tudo aquilo. Por esse motivo, as pessoas não paravam de sucumbir; as doenças já eram como prisioneiros permanentes dali também.

A cada dia, em torno de quinhentas pessoas morriam; essa média deixava Kramer extremamente feliz, fazia que ele se orgulhasse de sua equipe. Passei a conviver em um ambiente de mortos: parecia que eu estava mais entre os mortos do que entre os vivos. Em todos os cantos havia defuntos espalhados, e ninguém fazia nada para tirá-los dali. Quem ainda respirava também não estava tão vivo e saudável para fazer alguma coisa.

Os crematórios já não davam mais conta de queimar todos os corpos de Bergen-Belsen. Alguns prisioneiros até chegavam a carregar alguns em carrinhos para jogá-los em valas. No entanto, não davam conta de todos devido à quantidade que havia. Era um inferno viver em meio a tantos cadáveres espalhados ao seu redor, toda vez pensava com desespero: "Meu Deus, também farei parte dessas pilhas? Vou ser a próxima a morrer e a ficar jogada dessa forma, como um nada, como alguém sem nome?". O cheiro era insuportável, a morte e as doenças impregnavam o lugar.

Era um inferno viver em meio a tantos cadáveres espalhados ao seu redor, toda vez pensava com desespero: "Meu Deus, também farei parte dessas pilhas? Vou ser a próxima a morrer e a ficar jogada dessa forma, como um nada, como alguém sem nome?".

Os prisioneiros morriam durante o dia e durante a noite. Era muito comum ouvirmos o som da morte enquanto estávamos dormindo: ouvíamos uma espécie de barulho assustador, como um ronco, e sabíamos que a pessoa estava morta – era o último suspiro antes de falecer.

Eu passava por todo esse cenário de desespero tentando sobreviver até o próximo dia, e depois até o próximo, esperando, quem sabe, um milagre acontecer e alguém nos tirar daquele pesadelo. Até então, não havia esperança de que isso acontecesse, não éramos a prioridade daqueles que lutavam pelo fim do conflito. Bergen-Belsen era um cenário de caos que estava refletindo o mundo em guerra.

Em 27 de janeiro de 1945 o campo de Auschwitz-Birkenau foi libertado pelo Exército Vermelho soviético, mesmo com a resistência por parte de soldados alemães. Depois de milhões terem sido deportados para aquele inferno, de serem exterminados nas câmaras de gás, os soviéticos encontraram cerca de oito mil prisioneiros com uma aparência assustadoramente debilitada, em situações deploráveis. Esse era o cenário encontrado em todos os campos nazistas.

Edith Frank havia morrido no início do mês de janeiro, depois de ter ficado sem suas filhas, que seguiram para Bergen-Belsen. Anne e Margot não sabiam disso e ainda tinham esperanças de encontrar a mãe viva. Otto, no entanto, sobreviveu e foi libertado de Auschwitz. Será que se Anne e Margot tivessem ficado em Auschwitz e vivenciado a libertação, teriam sobrevivido? Não há como afirmar isso; os fatos são esses. Um dia a mais em uma

Será que se Anne e Margot tivessem ficado em Auschwitz e vivenciado a libertação, teriam sobrevivido?

guerra não é um dia a mais de esperança, é um dia a mais para morrer.

Foi nesse período que reencontrei uma das minhas colegas do Liceu Judaico. Eu estava sozinha naquela situação, então encontrar alguém conhecido era algo que causava uma emoção inesquecível pois, em um cenário de caos, o amor e a amizade eram nossas únicas formas de esperança.

E foi assim que um dia caminhei pela área externa da barraca e me aproximei da cerca de arame farpado que me impossibilitava de seguir para outros lugares do campo. Do outro lado da cerca, avistei e reconheci um rosto que me parecia familiar: era Anne Frank!

E foi assim que um dia caminhei pela área externa da barraca e me aproximei da cerca de arame farpado que me impossibilitava de seguir para outros lugares do campo. Do outro lado da cerca, avistei e reconheci um rosto que me parecia familiar: era Anne Frank!

Anne estava tão magra e debilitada quanto eu, que ainda possuía meus cabelos, enquanto os de Anne tinham sido raspados. Foi só um vislumbre, pois eu estava em um campo diferente e não conseguiria me aproximar. No entanto, foi o suficiente para me incentivar a querer encontrá-la e conversar; certamente teríamos muitas coisas para contar uma à outra.

Fiquei ansiosa para reencontrar Anne. Era frustrante ver alguém que você conhece e que pode ser um suporte em uma circunstância como essa e ser impossibilitada de se aproximar, permanecer separada por uma cerca como em uma prisão. Queria dar um jeito naquilo, achar alguma maneira de conseguir alcançá-la, mas tentar ultrapassar aquelas cercas era suicídio; não seria possível.

De algum jeito, porém, o destino se encarregaria do nosso encontro. Os períodos finais de guerra já estavam deixando os alemães um pouco desorganizados. Eles trabalhavam para evitar a libertação, ao mesmo tempo que queriam se livrar dos vestígios dos assassinatos cometidos nos campos. Em Auschwitz, antes de os soviéticos chegarem, eles fizeram de tudo para sumir com as fichas que continham detalhadamente o que havia acontecido ali.

Uma das coisas que eles queriam esconder em Auschwitz, além das câmaras de gás, eram os experimentos macabros realizados – experiências médicas desumanas que, em muitos casos, resultavam na morte dos "pacientes". Josef Mengele, conhecido como o "Anjo da Morte" pelos prisioneiros do campo, realizava experiências com o objetivo de aprofundar as questões racistas e ideológicas que faziam parte da doutrina nazista. Ele utilizava tinta nos olhos dos prisioneiros para ver se mudavam de cor e fazia experimentos terríveis com gêmeos para investigar a questão genética no ser humano. Em Auschwitz também havia a prática de esterilização, com o objetivo de desenvolver um método massivo barato e eficaz para esterilizar judeus, ciganos e outros prisioneiros perseguidos pelo regime. Essa, claramente, era outra forma de aniquilar os indesejados.

Uma das coisas que eles queriam esconder em Auschwitz, além das câmaras de gás, eram os experimentos macabros realizados - experiências médicas desumanas que, em muitos casos, resultavam na morte dos "pacientes".

O doutor Fritz Klein que, assim como Josef Mengele, era um dos médicos de Auschwitz e participava da seleção (ou seja, também decidia o destino daqueles que chegavam ao campo), foi para Bergen-Belsen em janeiro de 1945 com todos aqueles outros membros da SS de mentalidade brutal.

Em Bergen-Belsen, eles também tentariam se livrar dos arquivos que continham os dados dos prisioneiros e os relatos de toda a maldade que acontecia ali. Além disso, havia a identificação dos membros da SS que trabalharam lá, algo que poderia ser um problema enorme para esses indivíduos caso a Alemanha realmente saísse derrotada da guerra. A responsabilidade daquilo que haviam feito começava a pesar em seus ombros.

Foi nesse cenário que um dia, de repente, percebi que no local em que eu estava não existia mais a cerca. Eu não podia acreditar no que viam meus olhos! Isso aconteceu sem aviso algum, sem explicação alguma! Talvez fosse um indício de que algo maior estaria mudando o rumo da guerra, mas eu só associei o fato com a possibilidade de conseguir procurar Anne e falar com ela.

Atravessei o espaço que antes não me era permitido e segui em frente. Era uma reduzida sensação de liberdade: não uma liberdade total, obviamente, mas já poderia dar mais passos do que antes; agora havia mais a explorar. E eu estava determinada a atingir meu objetivo!

Andei ao redor do campo procurando Anne. Torcia intimamente para encontrá-la, afinal, havia uma grande possibilidade de ela estar morta, já que não era muito difícil morrer ali. No entanto, segui com minhas esperanças.

Da mesma forma que o destino pode nos colocar em situações extremamente difíceis, ele também pode nos trazer presentes que vêm carregados de bons presságios. Eu poderia estar em um campo de concentração, debilitada, mas encontrar Anne seria uma felicidade! E foi assim que o destino, o acaso, me levou até ela. Eu nem acreditava que a havia encontrado – e ainda viva!

E foi assim que o destino, o acaso, me levou até Anne. Eu nem acreditava que a havia encontrado - e ainda viva!

Não me contive de ansiedade e felicidade e gritei: “Anne!”. Ela ouviu seu nome ser chamado, talvez se perguntando de onde estaria vindo aquele som que lhe era familiar, e virou seu rosto em minha direção com aqueles olhos e sorriso que eu tanto havia visto no Liceu Judaico. Foi um momento muito emocionante! Ela estava envolta em um cobertor, pois não aguentava mais os piolhos na sua roupa, e tremia de frio. Corremos para nos abraçar, e lágrimas caíam dos nossos rostos, lágrimas que possuíam todos os sentimentos misturados: lágrimas de alegria e alívio por termos nos encontrado naquele ambiente sem vida, lágrimas pela situação deprimente em que estávamos, lágrimas, também, porque naquele momento nós duas estávamos sem nossos pais, sem nenhuma proteção.

Ainda é um mistério para mim como pudemos nos reconhecer: dois esqueletos naquele lugar em meio a tantos outros que não conseguiam se diferenciar. Mas os olhos conhecidos não negaram o passado comum, e não havia dúvidas de que estávamos juntas ali. Permanecemos um tempo abraçadas, talvez porque também naquele momento precisávamos mais do que nunca de calor humano. Estávamos não somente com fome, tristes, devastadas, mas também clamando por humanidade.

Cessamos o abraço e tivemos que recuperar nosso fôlego para falar. Eram tantas coisas que tínhamos para contar uma à outra! A primeira pergunta que fiz foi: "Anne, você não tentou fugir para a Suíça?". Parece até engraçado fazer essa pergunta sendo que ela se encontrava ali, bem à minha frente, mas, quando a família Frank desapareceu e Anne não foi mais ao colégio, todos pensamos que eles estariam na Suíça e, não havendo como confirmar, acreditamos. Esse foi um boato espalhado pela própria família Frank para despistar todos, especialmente a quem os perseguia para que fossem deportados.

Anne logo respondeu: "Não, não fomos para a Suíça, estávamos escondidos". Anne começou a me contar sobre o esconderijo secreto, sobre como a vida lá também era difícil, que não poderia haver o menor sinal de que estavam escondidos tentando evitar a deportação. Otto Frank decidira fugir com a família porque Margot já havia sido convocada para o trabalho forçado. A partir de então eles foram considerados foragidos e não podiam dar indícios de que ainda estavam em Amsterdã.

Anne contou detalhes do seu dia a dia escondida: contou que eles não podiam nem dar descarga durante o dia, que tinham que contar com a ajuda e a bondade dos funcionários e amigos do seu pai que os estavam ajudando a se esconder para conseguir comida, que não podiam falar muito alto nem andar muito pelo espaço no momento em que os funcionários estivessem trabalhando. Apesar de tudo isso, mesmo estando em um esconderijo, Anne manteve seus estudos e chegou a fazer cursos por correspondência.

Anne também me contou sobre o diário e que passara o tempo todo relatando nele o que acontecia dentro do anexo. Ela ouvira no rádio (eles tinham um rádio que também mantinham escondido, e conseguiam ouvir a BBC para saber os acontecimentos da guerra) o anúncio do ministro holandês Bolkestein, que estava exilado, pedindo que guardassem seus registros pessoais. Segundo ele, todos os diários seriam publicados no pós-guerra, para que a geração futura soubesse o que se passou na Holanda naquele período. Esse anúncio entusiasmou muito Anne, que já começou a sonhar sobre ter o seu diário publicado e ser uma escritora, como tanto desejava.

Anne também me contou sobre o diário e que passara o tempo todo relatando nele o que acontecia dentro do anexo.

Ficamos ali sonhando com a publicação do livro dela, com uma realidade em que ela seria uma escritora famosa conhecida pelas façanhas na guerra, com uma vida longe dali para nós duas. Foi um momento mágico, pelo menos por um segundo pudemos ser transportadas daquela realidade opressora que já não podíamos mais aguentar para um futuro cheio de sonhos. Apesar de estarmos em meio a todo aquele caos, ainda possuíamos a capacidade de sonhar.

Foi Anne também quem primeiro me contou sobre Auschwitz, ou melhor, sobre os horrores de Auschwitz. Não imaginava que tudo aquilo estivesse acontecendo até ela me contar. Ela me falou sobre os vagões de gado e a seleção que era feita logo na entrada para decidir quem iria morrer na câmara de gás e quem iria sobreviver apenas para trabalhar como um escravo no campo. Ela me disse sobre o transporte de trem que tivera que pegar para chegar até Bergen-Belsen. Agora, de duas garotas sonhadoras, passamos a ser duas garotas amedrontadas pela realidade que estávamos enfrentando.

Margot também estava lá. Ambas estavam muito preocupadas com sua mãe, pois a haviam deixado ainda com vida em Auschwitz e tinham a esperança de que pudessem encontrá-la novamente. Estavam apreensivas pelo pai também, pois não tinham mais notícias dele desde Auschwitz e não sabiam se estava morto ou vivo. Esse foi o desenlaçar de um destino implacável, em que quase ninguém naquela situação viria a sobreviver.

Ainda encontrei Anne e Margot algumas outras vezes. Sempre conversávamos a respeito do que estávamos passando. Também contei que não estava mais com minha família e tudo o que tinha acontecido comigo. Infelizmente, não demorou muito para que nossos encontros cessassem. O destino não permitiria mais que déssemos suporte umas às outras; eu voltaria a estar sozinha ali.

Ainda encontrei Anne e Margot algumas outras vezes. Sempre conversávamos a respeito do que estávamos passando.

Um dia não encontrei mais Anne. Fiquei sabendo por intermédio de outras mulheres que estavam no campo que ela não tinha sobrevivido. Margot e ela faleceram em março, ambas contaminadas por tifo. Margot um dia caiu da sua cama morta (já não tinha mais forças nem para sair da cama), e Anne morreu poucos dias depois, também debilitada pela doença.

Algumas pessoas tendem a fazer suposições e dizem que, se Anne soubesse que o pai ainda estava vivo, poderia ter tido ânimo para sobreviver. Como alguém poderia arranjar mais forças para sobreviver àquela doença arrasadora naquele ambiente? Podemos dizer que todos os que morreram não tinham mais vontade de viver? Não era isso que ditava sua vida em Bergen-Belsen. A sobrevivência era uma mera sorte, ou até mesmo um milagre.

Podemos dizer que todos os que morreram não tinham mais vontade de viver? Não era isso que ditava sua vida em Bergen-Belsen. A sobrevivência era uma mera sorte, ou até mesmo um milagre.

O diário de Anne só foi salvo e publicado porque, depois que a família foi descoberta no esconderijo e presa, Miep Gies, uma das pessoas que estava ajudando a mantê-los a salvo, encontrou o diário entre as coisas que foram deixadas para trás e o guardou, entregando-o posteriormente ao Otto. Até hoje não se sabe quem denunciou a família Frank. Foi um fim muito triste, como o de muitos judeus. Famílias inteiras foram destroçadas na guerra.

Nossa outra amiga que também esteve em Bergen-Belsen, Lies Goosens, esteve também no Campo Estrela mas não onde eu estava, e só viríamos a descobrir isso quando nos encontramos depois da guerra. Lies me disse: "Você foi a única que abraçou a Anne; eu

Lies me disse: "Você foi a única que abraçou a Anne; eu mesma nem consegui vê-la, apenas falar através da cerca e jogar um pouco de comida para ela".

mesma nem consegui vê-la, apenas falar através da cerca e jogar um pouco de comida para ela". Realmente, meu encontro com a Anne foi muito especial e emocionante.

Nessa época, a escassez de mantimentos estava insuportável e desumana. Os nazistas poderiam nos deixar durante dias sem comida ou água. No entanto, eles não se cansavam de brincar conosco. Um dia, apareceu no meio do campo um caldeirão cheio de mexilhões sem que ninguém dissesse nada. Eu estava faminta, não aguentava mais ficar sem comer. Contudo, não me atrevi a chegar perto, sabia que a maldade dos nazistas era tamanha que todo aquele caldeirão poderia estar envenenado. Além de não comer alguns frutos do mar por ser judia, eu tinha a consciência de que, se estivessem fora da data de validade, não fariam nada bem à minha saúde.

Era muito difícil observar aquele caldeirão cheio de comida, estando faminta, e não poder me aproximar. Só quem passou fome sabe como é enfraquecedor e ao mesmo tempo psicologicamente desgastante para um ser humano. Eu tive que ser mais forte do que tudo aquilo para aguentar mais um pouco. Eu havia chegado até ali, não iria desistir.

Conforme o fim da guerra se aproximava, parecia que a morte resolveu me testar algumas vezes. Passei por situações que até hoje não consigo entender como venci, mas, de alguma forma, o destino decidiu que eu deveria permanecer aqui. Dentre todas as experiências, passei por duas situações bem tensas que colocaram os meus nervos à flor da pele.

O cenário já era caótico, com tudo sucumbindo e, no entanto, os nazistas permaneciam fazendo aquelas insuportáveis contagens, quando nem mesmo tínhamos forças para ficar em pé. Já não aguentava mais e aquilo parecia não ter fim, como um pesadelo em que não conseguimos acordar. Em uma dessas situações, o "ilustre comandante do campo", Josef Kramer, me mandou sair do meu lugar na fileira de cinco. Meu coração disparou, pois aquilo poderia significar qualquer coisa: que iria me matar ali mesmo, sacar sua arma e atirar em minha direção, ou me maltratar de formas inimagináveis. Para meu alívio, e talvez enorme sorte, não me machucaram nem me ameaçaram.

Meu coração disparou, pois aquilo poderia significar qualquer coisa: que iria me matar ali mesmo, sacar sua arma e atirar em minha direção, ou me maltratar de formas inimagináveis. Para meu alívio, e talvez enorme sorte, não me machucaram nem me ameaçaram.

No entanto, aqueles segundos pareceram durar uma eternidade, não havia o que fazer nem para onde correr. Foi um dos momentos em que me senti mais vulnerável em toda a minha vida, como uma vítima esperando o agressor decidir sua sorte. Fiquei um tempo sem respirar até conseguir me recuperar, mas não aconteceu nada de mais. Essa, porém, não seria a única vez que a minha vida estaria nas mãos daqueles seres brutais. Aliás, desde o dia em que havíamos sido deportados, a minha vida estava à mercê deles.

A outra vez em que a morte passaria próxima de mim seria ainda mais real e assustadora. Os nazistas já não sabiam o que fazer com tudo aquilo que estava aconteceendo na guerra. Eles, que eram tão doutrinados, estavam perdendo o controle da situação. Os nazistas acreditavam seriamente que estavam levando a Alemanha ao triunfo, à conquista de um império ariano, e a derrota na guerra representava o fim de seus sonhos. Todos os acontecimentos da guerra mostravam que a vitória seria cada vez mais inatingível.

Certa vez, já bem próximo do final, eu estava parada na fila para receber água, esperando a minha vez chegar. Eu estava ali, como todas aquelas pessoas que mais se pareciam com zumbis, tentando conseguir o pouco de água que tinha disponível para que não ficasse tão desidratada. Foi nesse momento que senti uma mão pesada me puxando pelo braço. Eu tomei um susto, mas não tive como reagir, e a mão me puxou para fora da fila.

Foi nesse momento que senti uma mão pesada me puxando pelo braço. Eu tomei um susto, mas não tive como reagir, e a mão me puxou para fora da fila.

Quando percebi o que estava acontecendo, meu coração parou: era um membro da SS que trabalhava no campo apontando a sua arma para mim. Não há palavras para descrever o medo e a impotência que o assolam quando há uma arma na sua frente, uma arma que pode acabar com a sua vida. No entanto, eu não tive reação, pois não havia mais com o que me importar. Aquele homem estava com uma arma apontada para mim, mas eu já havia perdido tudo: perdera minha casa, minha família e toda a minha identidade. Eles já haviam tirado tudo de mim; tirar a minha vida seria apenas o final esperado.

Eu devia ter um olhar tão indiferente, tão isento de qualquer sentimento diante daquele ser brutal, que a sua graça acabou. Era isto que ele queria: que implorasse pela minha vida, morresse de medo na sua frente e, assim, como um *grand finale*, ele me mataria. Mas, como não foi isso que aconteceu, ele ficou sem chão. Ele não sabia o que fazer diante de sua vítima indiferente e, como que para não perder o seu momento de diversão, atirou para o ar. Assim não desperdiçaria sua bala.

Eu acho que foi só depois de acontecer tudo isso que me dei conta da dimensão daquele instante, do quanto realmente estive a alguns centímetros da morte. Era incrível eu estar viva depois de tudo, era um milagre eu ter sido salva pela minha indiferença. Não me recordo se retornei à fila, acho que não estava em condições de me mover.

No entanto, não era só dos nazistas que eu tinha medo; eu também morria de pavor de pegar tifo – uma doença tão brutal quanto os próprios homens da SS. Ao meu redor, via pessoas morrendo a todo instante por causa dela, e eu sabia que, se eu pegasse, seria a próxima vítima. Depois de tudo que havia passado, não queria ficar ali sem consciência, extremamente doente, padecendo sozinha. Mas nós nunca poderíamos prever quando ou se isso aconteceria.

No entanto, não era só dos nazistas que eu tinha medo; eu também morria de pavor de pegar tifo – uma doença tão brutal quanto os próprios homens da SS.

O campo estava infestado de seres humanos contaminados por doenças: além de tifo, havia tuberculose, febre tifoide e disenteria, causando um número de mortes incrivelmente alto. Nos primeiros meses de 1945, milhares de prisioneiros morreram em Bergen-Belsen. Era um milagre, apesar de tudo, eu não ter contraído nenhuma dessas doenças até então. Ou, pelo menos, era o que eu achava.

Não tardaria muito para a guerra chegar ao campo. Em fevereiro de 1945, os Aliados reuniram-se na Conferência de Yalta para discutir a reconfiguração política do mundo depois da vitória sobre as tropas do Eixo – vitória que estava se tornando cada vez mais próxima e real. A Alemanha já estava praticamente ocupada e mostrava sinais de que não resistiria às batalhas por muitas semanas mais. Participaram dessa conferência os grandes líderes dos Aliados: Winston Churchill (Reino Unido), Franklin D. Roosevelt (Estados Unidos) e Josef Stalin (União Soviética). Os Aliados já planejavam, então, exigir a "capitulação incondicional" da Alemanha, anunciada no dia 8 de maio de 1945, bem como dividir o território alemão em zonas de ocupação.

Alguns territórios já começaram a ser libertados do domínio alemão, bem como alguns campos de concentração nazistas, como ocorrera com Auschwitz em janeiro. Berlim havia sofrido muitos bombardeios que deixaram enormes vestígios de destruição na cidade. Toda a Europa estava arrasada e devastada por conta da guerra.

Com tudo isso acontecendo e a iminência da derrota, alguns membros da SS não desejavam mais perder tempo. Dessa forma, alguns guardas fugiram do campo para evitar que fossem presos pelas tropas dos inimigos – era claro que alguma coisa ia acontecer nos próximos dias.

Essa fuga em nada mudaria ou alteraria a nossa situação naquele momento; afinal ainda não estávamos livres. Nos últimos dias antes que algo efetivamente acontecesse, não havia quase recursos para os prisioneiros. Ficávamos sem comida além de termos pouquíssima quantidade de água disponível para beber. Seria possível aguentar mais alguns dias nessa situação até que alguém viesse finalmente nos ajudar?

Hitler estava ciente de que tudo isso estava acontecendo, no entanto, a raiva que ele tinha pela derrota e pelos prisioneiros no campo de concentração era grande demais para que ele deixasse para lá. No dia 7 de abril de 1945, Josef Kramer recebeu uma ordem para executar todos os prisioneiros no campo de Bergen-Belsen em vez de deixá-los nas mãos do inimigo para que fossem libertados. Quando essa notícia chegou aos ouvidos dos representantes do Congresso Judaico Internacional, em Estocolmo, eles ameaçaram Himmler para que ele desobedecesse essa ordem. Himmler cedeu, o que deixou Hitler extremamente nervoso.

No dia 8 de abril ainda chegariam mais milhares de prisioneiros em Bergen-Belsen: já não era possível receber mais ninguém, mas isso não impedia as ações desesperadas dos nazistas – eles estavam encurralados. A população do campo já somava sessenta mil prisioneiros; sessenta mil pessoas que não seriam executadas, mas que não teriam as menores condições disponíveis para sobreviver – não deixou esse de ser mais um método de assassinato em massa dos nazistas.

Nós que estávamos no campo já imaginávamos que a guerra estava terminando. Ouvíamos canhões sendo disparados próximos à nossa localização, além de vermos e ouvirmos esquadrões de aviões dos Aliados sobrevoando a todo o momento – os americanos e britânicos se revezavam ao longo do dia e da noite passando pelo local. Bergen-Belsen estava no meio da zona de guerra contra os alemães.

Nossa ansiedade aumentava a cada explosão ouvida. Algo que nos desesperou e nos revoltou foi o fato de que nunca houve tentativa de bombardeio em Bergen-Belsen. Por que os americanos ou os britânicos não lançaram bombas em direção aos trilhos dos trens ou nas proximidades dos campos, acabando com tudo aquilo? Nunca houve um bombardeio porque não éramos as prioridades deles: eles estavam lutando uma guerra cujo objetivo era acabar com as tropas alemãs, não salvar os encarcerados em Bergen-Belsen.

Nessa época, eu já estava pele e osso. Olhava para mim mesma e conseguia enxergar o formato dos meus ossos, sentia-me um esqueleto vagando pelo mundo, um esqueleto que ainda por um breve suspiro conseguiria sobreviver. A minha aparência não lembrava nada aquela menina saudável que eu era; eu não conseguia mais me reconhecer. Próximo do final da guerra, estava pesando em torno de 31 quilos – um peso considerado normal para uma criança, não para uma jovem de 16 anos.

Nessa época, eu já estava pele e osso. Olhava para mim mesma e conseguia enxergar o formato dos meus ossos, sentia-me um esqueleto vagando pelo mundo.

Apesar de já estar na idade, ainda não havia tido a minha primeira menstruação. Meu corpo não funcionava do jeito que deveria. Durante o período no campo de concentração, todas as mulheres tiveram seu ciclo menstrual interrompido. Fico pensando se isso realmente não foi melhor, porque as condições de higiene só seriam mais degradantes para as mulheres, uma vez que não haveria absorventes para utilizar.

Demoraria para que meu corpo voltasse ao seu funcionamento normal. Os vestígios que ficariam das condições do campo de concentração seriam muito intensos e profundos para que a minha saúde se recuperasse em um breve período. As condições a que eu e todos os prisioneiros estávamos sujeitos eram muito devastadoras.

Encontrava-me extremamente debilitada; não havia mais tempo ou disposição para ficar pensando na minha família, eu só tinha forças para apenas continuar respirando. Eu estava tão fraca que não conseguia nem andar direito, ficava um bom tempo no beliche, assim como a maioria dos prisioneiros que não conseguia dar nem um passo – especialmente aqueles que já estavam muito doentes. Todos apresentávamos uma aparência terrível de morte.

Por que aqueles aviões não desciam logo em nosso resgate? Por que os alemães não nos libertavam, não nos deixavam em paz mesmo quando a guerra já estava perdida? A libertação de Bergen-Belsen estava a apenas um passo de nós. No entanto, isso não significaria sobrevivência para muitos ali. Certamente, a nossa guerra particular ainda não teria fim. Ainda faltava muito para tudo aquilo acabar.

CAPÍTULO 7

A libertação de Bergen-Belsen

Em abril de 1945, as batalhas entre alemães e britânicos eram travadas na proximidade de Bergen-Belsen. Nós ouvíamos cada vez mais próximos os sons da guerra – barulhos que podem não ser de alegria, mas, para nós que estávamos em Bergen-Belsen, poderiam significar a liberdade.

O campo já estava totalmente infectado por doenças, algo que preocupava mais os alemães à medida que a possibilidade da libertação dos prisioneiros tornava-se mais concreta. O que aconteceria com a população alemã que vivia nas proximidades caso entrasse em contato com todos os doentes? Agora os alemães teriam que lidar com toda essa situação criada por eles.

Foi assim que, no dia 12 de abril de 1945, dois membros das tropas alemãs apareceram em frente às tropas britânicas acenando uma bandeira branca. O que poderia significar aquilo? O que eles pretendiam? Eles procuravam os ingleses para fazer uma proposta: estavam muito perto de um campo de concentração chamado Bergen-Belsen, um campo onde o tifo tinha se alastrado por todos os lados. Temendo que, durante uma batalha próxima ao campo, os prisioneiros pudessem escapar e transmitir doenças à população e mesmo aos soldados (e aqui incluíam os britânicos, como se estivessem preocupados com a saúde deles), os alemães queriam propor uma *No Fire Zone* próxima ao campo – ou seja, um lugar neutro em que não haveria troca de tiros – e entregar o campo aos britânicos sem que houvesse resistência.

Esse era o motivo de muitos guardas de Bergen-Belsen já terem fugido: eles já estavam cientes de que essa negociação estaria acontecendo, e não queriam ficar lá para serem presos pelos inimigos. Eram muito corajosos para assassinar outras pessoas e nos xingar de nomes como "vermes nojentos", mas não eram corajosos o suficiente para aguentar as consequências de suas ações. O pacto foi assinado por ambas as partes, o que significava que o destino de Bergen-Belsen realmente começava a mudar.

Os ingleses não estavam muito certos das palavras dos alemães – será que realmente cumpririam a promessa de estabelecer uma *No Fire Zone*? –, mas eles também não estavam cientes sobre as condições com que se deparariam em Bergen-Belsen. Será que os experientes soldados de guerra suportariam o que estavam prestes a testemunhar? Será que uma pessoa com o mínimo de empatia aguentaria a visão daquele inferno?

Será que os experientes soldados de guerra suportariam o que estavam prestes a testemunhar? Será que uma pessoa com o mínimo de empatia aguentaria a visão daquele inferno?

Logo na entrada do campo os alemães haviam colocado uma placa que dizia "Perigo – Tifo!". Por que fixaram aquela placa avisando para tomar cuidado se foram eles próprios que causaram tudo aquilo? Eles deveriam ter tido a noção do perigo antes mesmo de iniciar tudo aquilo. Mas o que eles pretendiam mesmo era que todos morressem de tifo ali mesmo, sem precisar fazer mais nada. O objetivo era o nosso extermínio.

Os britânicos foram levados ao campo sem ter a menor noção do que era Bergen-Belsen. Ao chegarem lá, com um megafone, anunciaram: "Vocês estão seguros agora. Os alemães foram embora. Comida e água chegarão logo. Permaneçam em suas barracas".

Eu me lembro desse dia como se fosse hoje! Os prisioneiros pareciam não acreditar no que estavam ouvindo. Não seríamos mais mesmo importunados pelos alemães? Poderíamos ter outra vida a partir de então? No entanto, apesar da liberdade, a maioria dos prisioneiros do campo não tinha sequer energia para se mexer e compreender o que estava acontecendo.

Quando ouvi o recado, estava muito fraca e morrendo de fome. O anúncio foi recebido por mim com um misto de sentimentos: milhares de pensamentos vindo à minha cabeça sem que eu pudesse processá-los com clareza. Tudo bem, eu estava livre e poderia ter uma vida normal novamente. Mas que vida normal seria essa? Eu estava sem minha casa e sem minha família, absolutamente fraca e com a saúde debilitada. Como viveria? Voltaria a ver minha mãe e meu irmão alguma vez ainda?

Logo que entraram em Bergen-Belsen, os britânicos ficaram extremamente chocados com o que viram: corpos por todos os lados, pessoas que estavam mais mortas do que vivas e um cheiro de podridão insuportável.

Logo que entraram em Bergen-Belsen, os britânicos ficaram extremamente chocados com o que viram: corpos por todos os lados, pessoas que estavam mais mortas do que vivas e um cheiro de podridão insuportável. O olhar assustado era a tradução de tudo aquilo que estávamos vivendo naquele lugar, onde a doutrinação do Partido Nazista estava encaminhando a humanidade.

Esses eram soldados treinados para enfrentar adversidades extremas, matar o inimigo e se salvar das piores situações. No entanto, nem esses seres humanos acostumados com tristes imagens de guerra conseguiam acreditar no que estavam vendo, na destruição degradante que haviam encontrado ali. Certamente, eles não tinham a menor informação sobre o que era Bergen-Belsen, e muitos ficaram chocados por muito tempo pelo que presenciaram naqueles dias.

Josef Kramer não fugiu como outros membros da SS. Ele permaneceu ali, para receber as tropas do inimigo e "entregar" o campo, como se fosse uma cerimônia de passagem de posse. Ainda teve a frieza de explicar a situação de Bergen-Belsen, sem que nada alterasse a sua expressão facial. Era impressionante comparar a falta de empatia daquele homem diante dos horrores que praticava com a descrença dos britânicos no que viam e ouviam.

Depois que os britânicos fizeram o primeiro reconhecimento do campo, retornaram à entrada para prender

Kramer e os outros membros da SS que ainda estavam lá: agora os prisioneiros seriam eles.

Logo que os libertadores chegaram em Bergen-Belsen, o campo ficou conhecido como "The Horror Camp" ou "O Campo do Horror". A desumanização daqueles que ainda viviam era tamanha que quase não seria possível classificá-los como sobreviventes. Bergen-Belsen ficaria marcado pela eternidade como "O Campo do Horror".

> Bergen-Belsen ficaria marcado pela eternidade como "O Campo do Horror".

A imagem era horrorosa, incompreensível e, no entanto, era preciso que logo fossem tomadas providências para que aquilo não se transformasse em algo ainda pior. Por isso, era extremamente urgente que fossem providenciadas comida e água, recursos muito necessários ali.

Foi um desafio para aqueles soldados britânicos, que só haviam se preparado para enfrentar batalhas, lidar com a situação com a qual se depararam. Como providenciar comida para as pessoas que estavam desnutridas? Como trazer a vida a pessoas que se sentiam quase mortas, que quase não eram mais seres humanos? Eles não estavam treinados para isso.

Apesar de o campo de Bergen-Belsen ter sido libertado, é preciso lembrar também que ainda estávamos em guerra. Nossa realidade começava a mudar, mas lá fora tiros ainda eram trocados, canhões disparados e havia dificuldade para se obter recursos como comida e medicamentos. Não era como se houvesse algum lugar onde facilmente tudo pudesse ser buscado em pouco tempo e na quantidade necessária. No entanto, os soldados britânicos passaram a lidar com a situação da melhor forma que poderiam: o objetivo urgente deles passava a ser salvar os prisioneiros de Bergen-Belsen.

No dia seguinte à libertação, logo chegaram caminhões do Exército carregados com a comida enlatada que era servida aos soldados.

Você pode imaginar que todos mataram a fome. No entanto, imaginou errado, assim como todos naquela situação. Como os combatentes britânicos não estavam acostumados a lidar com desnutrição extrema, ou talvez nem tivessem consciência do tamanho da catástrofe que havia ali, não passou pela cabeça de ninguém que aquela comida poderia ser prejudicial para nós. Por causa daquela comida, muitas pessoas morreram. Sim, exatamente isso: algumas pessoas estavam tão fracas que seus corpos não suportaram a quantidade de calorias sendo digerida de uma vez. Muitos daqueles que estavam famintos e comeram quase sem respirar morreram por não tolerar o que comiam.

> Algumas pessoas estavam tão fracas que seu corpo não suportou a quantidade de calorias sendo digerida de uma vez. Muitos daqueles que estavam famintos e comeram quase sem respirar morreram por não tolerar o que comiam.

As tropas britânicas estimam que em torno de duas mil pessoas não resistiram à alimentação e vieram a falecer. Dá para imaginar uma situação desconcertante como essa? Pessoas que haviam sido privadas de comida há tanto tempo, sem ter direito a nada, no seu primeiro momento de liberdade e de possível saciedade, morrem por causa da comida. Ficou claro que as consequências da vida no campo não se restringiriam ao campo – quem sobrevivesse, carregaria aquela experiência para sempre.

Mais uma vez, por pouco também não sucumbi à comida: um soldado britânico me deu uma lata de leite condensado, e eu ingeri apenas um pouco, pois detestei o gosto. Provavelmente, eu não teria sobrevivido para contar essa história se tivesse obedecido à minha fome e comido a lata inteirinha. Certamente, o meu corpo não resistiria a todo aquele açúcar e calorias nas condições em que eu estava. Mais uma vez, tive sorte; o destino estava me ajudando a sobreviver.

A situação em Bergen-Belsen era tão precária que mesmo após a libertação as pessoas ainda morriam por desnutrição ou vítimas de doenças. Havia aqueles que estavam tão debilitados que não havia mais esperanças de que se curassem, estavam esperando apenas pelo último suspiro. É isso o que pessoas com crenças totalmente desprovidas de compaixão pelo outro podem causar a pessoas inocentes.

Um dos soldados da tropa britânica que estava participando da Operação de Libertação Bergen-Belsen foi o major Leonard Berney. Berney também era judeu e tinha vinte e cinco anos quando entrou em Bergen-Belsen sem saber o que encontraria pela frente. As imagens que viu ali foram chocantes ao ponto de ele nunca mais conseguir esquecer. Ele, no entanto, já era mais velho que os outros soldados: a maioria não tinha nem chega-

Ficou claro que as consequências da vida no campo não se restringiriam ao campo - quem sobrevivesse, carregaria aquela experiência para sempre.

do aos vinte anos. Eram jovens que ainda não tinham quase vivido sua vida e que desde cedo aprenderiam o alcance da maldade que um ser humano pode ter em sua alma.

Uma das primeiras missões de Berney em Bergen-Belsen foi reestabelecer o fornecimento de água no campo, que havia sido interrompido por alguns dos membros da SS que fugiram antes da chegada dos Aliados. Logo ele conseguiu realizar sua tarefa, e depois seria designado para outras – havia muito a ser feito lá.

Agora que eu estava livre e sozinha, comecei a pensar que seria importante avisar a minha família na Inglaterra sobre as minhas condições para que eu tivesse algum suporte depois do fim daquele horror. Essa era uma necessidade não só minha, mas da maioria dos prisioneiros: tantas pessoas que foram afastadas de seus países e precisavam contatar a quem pudessem para auxiliar em seu retorno.

Foi pensando nisso que, em um dia em que Leonard Berney estava sentado em uma mesa fazendo suas anotações, me aproximei dele e perguntei se ele poderia enviar uma carta à minha família na Inglaterra avisando que eu estava em Bergen-Belsen, a salvo. Ele ficou me olhando, talvez um pouco surpreso pela fluência do inglês que eu apresentava, não era comum que falassem inglês ali. Entreguei a ele o endereço da minha tia, e ele escreveu uma carta informando aos meus parentes que eu havia sobrevivido e onde estava. Até hoje tenho guardada a primeira carta que ele enviou à Inglaterra, no dia

21 de abril de 1945. O curioso é que ele errou a grafia do meu nome, escrevendo Ninette, não Nanette.

Como eu falava bem inglês e outras línguas, passei a auxiliar os soldados como intérprete no campo. Eles encontraram dificuldades para se comunicar com os prisioneiros, tendo em vista que havia pessoas de inúmeras nacionalidades, e praticamente ninguém falava inglês. Dessa forma, meus conhecimentos em inglês, alemão, francês e holandês foram úteis nessa ocasião.

Guardo uma grata e terna recordação desse homem, afinal, ele, como membro do Exército Britânico, salvou a minha vida. Ele foi um daqueles que entraram no campo para nos libertar, ficaram chocados e tiveram compaixão da situação em que estávamos – pessoas inocentes que estavam sofrendo os piores castigos – e ainda enviou cartas para me ajudar na comunicação com a minha família. Foi a primeira ajuda que eu recebi de outras pessoas em anos. Era muito boa essa sensação: lembrar que ainda poderiam existir pessoas boas no mundo.

Guardo uma grata e terna recordação desse homem, afinal, ele, como membro do Exército Britânico, salvou a minha vida.

Outro problema com o qual os ingleses se depararam e precisariam lidar era a imensa quantidade de corpos espalhados pelo campo. O crematório já não tinha condições de queimar tantos cadáveres, e havia corpos para todos os lados – já que os alemães não haviam se dado ao trabalho de levá-los para as valas construídas para esse fim.

Era impressionante e assustadora a quantidade de mortos em Bergen-Belsen. Quando as tropas britânicas chegaram ao campo, havia em torno de dez mil corpos

Quando as tropas britânicas chegaram ao campo havia em torno de dez mil corpos espalhados. E esse número só crescia, visto que as pessoas continuavam a morrer.

espalhados. E esse número só crescia, visto que as pessoas continuavam a padecer. Elas estavam tão debilitadas que nem com os melhores cuidados teriam condições de sobreviver.

O recolhimento dos corpos foi um trabalho intenso e difícil, porque a princípio os britânicos não sabiam como fazer aquilo. Como perceberam que os alemães já haviam começado a cavar valas imensas para isso, decidiram continuar com o trabalho. Afinal, não haveria outra possibilidade de enterrar todos os milhares de corpos.

E quem os ingleses colocaram para realizar esse trabalho? Quem não deveria nem ter começado com isso tudo: os próprios alemães. Alguns dos guardas da SS que ainda estavam lá foram obrigados a recolher os corpos e colocá-los nas valas. Era impressionante a indiferença com que eles executavam essa tarefa horrível; não demonstravam o menor remorso diante daquilo tudo.

Enquanto os membros da SS carregavam os corpos, ex-prisioneiros, que antes eram extremamente maltratados por eles, assistiam à cena. As pessoas ficavam revoltadas, ao mesmo tempo em que achavam graça da inversão da situação: eram os SS que agora deveriam obedecer. A Alemanha realmente havia perdido a guerra.

Foram dias a fio até que esse trabalho fosse finalizado. A destruição que os alemães haviam causado era muito grande para que o esforço de arrumar tudo não tivesse intensidade semelhante. Demorou um tempo até que a taxa de morte começasse a cair também em Bergen-Belsen. Será que agora as coisas iam começar a melhorar?

Assim que todos os corpos foram removidos, tentou-se providenciar um enterro mais digno para eles, com a ajuda de um rabino que estava no campo. Para isso, os britânicos convocaram prefeitos e civis de cidades vizinhas, para que pudessem testemunhar com seus próprios olhos a destruição que a doutrina deles havia causado à humanidade.

Era uma visão estarrecedora: milhares e milhares de corpos reunidos, enterrados todos juntos, quase não sobrando espaço para mais nenhum. Os alemães assistiram a tudo aquilo, não podendo mais dizer que não sabiam. Fotógrafos e cinegrafistas do Exército registraram as cenas, para que ninguém pudesse dizer que não aconteceu, para que o que se passou em Bergen-Belsen não fosse mais esquecido.

Fotógrafos e cinegrafistas do exército registraram as cenas, para que ninguém pudesse dizer que não aconteceu, para que o que se passou em Bergen-Belsen não fosse mais esquecido.

Agora que certa ordem e condições dignas estavam reestabelecidas, era necessário encontrar um novo lugar para alocar os ex-prisioneiros. Afinal, o campo já estava totalmente infestado por doenças, e era difícil que alguém pudesse permanecer saudável ali.

Leonard Berney encontrou próximo ao campo um local conhecido como Panzer Training School (ou Escola de Tanques), para soldados alemães. Lá havia não só uma imensa quantidade de comida, mas também espaço e conforto. Isso foi muito chocante para os britânicos: perceber que muito perto de Bergen-Belsen havia uma enorme

Isso foi muito chocante para os britânicos: perceber que muito perto de Bergen-Belsen havia uma enorme quantidade de comida estocada pelos alemães, suficiente para não nos deixar passar fome. Isso mostrava claramente a brutalidade deliberada por parte dos soldados de Hitler. Eles nos deixaram passar fome por pura crueldade.

quantidade de mantimentos estocada pelos alemães, suficiente para não nos deixar passar fome. Isso mostrava claramente a brutalidade deliberada por parte dos soldados de Hitler. Eles nos deixaram passar fome por pura crueldade.

A Escola de Tanques começou a ser organizada para que os prisioneiros pudessem ser transferidos para lá. Alguns, no entanto, estavam tão doentes, já à beira da morte, que não havia nada a ser feito. Os doentes seriam transferidos para o hospital improvisado enquanto os que estavam em condições melhores (que significava que estavam aptos a andar) iriam para o campo de recuperação.

Eu mal acreditava que depois de todos aqueles meses eu iria finalmente sair do campo de concentração. Ainda que não estivesse indo para muito longe, já era libertador saber que eu não estaria mais naquele lugar que me lembrava da morte do meu pai, da deportação do meu irmão e da minha mãe e de todas aquelas situações horríveis que eu tive que passar ali. Finalmente, eu poderia respirar um ar que não fosse o de Bergen-Belsen.

A transferência para a Escola de Tanques iniciou-se, e os soldados depararam-se com uma nova situação: eles não conseguiam organizar direito os ex-prisioneiros para seguirem para a Escola, pois todos haviam se juntado em grupinhos e muitos não queriam se separar dos seus colegas. Diante de tudo que havíamos passado, estar com pessoas conhecidas ao redor trazia uma espécie de conforto e segurança.

Eu, no entanto, não fazia parte de nenhum grupo, então não me importava em seguir sozinha. Aliás, eu não via a hora de sair daquele lugar! Não conseguia mais me imaginar ali agora que a libertação era uma realidade. Dessa forma, fui uma das primeiras a ser transferida para o novo campo de recuperação, pois estava relativamente bem e conseguia andar.

Antes de mudarmos para lá, porém, era preciso melhorar a condição de higiene dos prisioneiros, para que as doenças não continuassem se espalhando. Dessa forma eles improvisaram uma "lavanderia humana". Pulverizaram pó de DDT em nosso corpo para matar os piolhos, e depois passamos por chuveiros e nos deram uma toalha e um sabonete. Tomar banho era uma sensação maravilhosa! A água era quentinha! Há quanto tempo eu não tinha aquela sensação de água quente escorrendo pelo meu corpo?! E também toalha e sabonete! Que maravilhosa sensação!

Tomar banho era uma sensação maravilhosa! A água era quentinha! Há quanto tempo eu não tinha aquela sensação de água quente escorrendo pelo meu corpo?! E também toalha e sabonete! Que maravilhosa sensação!

Ter a oportunidade de tomar um banho decente foi algo maravilhoso. A sensação de sujeira é degradante física e psicologicamente, e o banho me fazia voltar a me sentir uma moça normal novamente. Eu poderia ficar limpa, e ainda teria toalhas e sabonete – um luxo para todos nós de Bergen-Belsen.

Quando cheguei à área de recuperação, fui trabalhar na cozinha, onde outras prisioneiras estavam prestando auxílio também. Aquele lugar era uma nova realidade! Estávamos com pessoas que realmente queriam nos ajudar e nos salvar, pessoas que não achavam que nossa vida não valia nada, como acontecera durante todos os meus dias desde setembro de 1943. Agora os prisioneiros poderiam se sentir humanos novamente, mesmo que isso, para alguns, ainda fosse bem difícil devido aos traumas. A apatia na feição era algo comum.

Meu trabalho nessa cozinha durou poucos dias. Logo aconteceu o que eu mais temia: havia contraído tifo.

Meu trabalho nessa cozinha durou poucos dias. Logo aconteceu o que eu mais temia: havia contraído tifo. Tifo é uma doença silenciosa; você não consegue prever quando se manifestará e, quando isso acontece, é de uma maneira muito intensa, a incubação da doença dura em média duas semanas, seguida de febre alta. Entrei em coma, perdi a consciência do que se passava ao meu redor.

Assim como eu, diversos outros prisioneiros que já estavam no campo de recuperação contraíram tifo e tiveram que ser transferidos para o hospital. Acontece que os que eram considerados saudáveis não estavam tão saudáveis assim para que estivessem livres das doenças de Bergen-Belsen.

Não sei ao certo quando acordei, mas devo ter ficado em coma durante umas duas semanas. Quando recuperei a consciência, eu estava em um colchão de palha, deitada no chão. Não sei quem cuidou de mim durante esse tempo, mas sei que recuperei a consciência.

Mais uma vez, eu considerava um milagre o fato de estar viva. Tantas pessoas padeceram em Bergen-Belsen por causa do tifo, tantos não sobreviveram, como foi o caso de Anne Frank e Margot, e eu mais uma vez havia escapado da morte mesmo sem nenhum remédio adequado para tratamento. O destino parecia estar jogando a meu favor.

É difícil dizer ainda o motivo de eu ter sobrevivido e os outros não. Será que eu tinha mais resistência? Será que sobreviver a tudo isso havia sido o meu destino desde o começo? No meu período em Bergen-Belsen eu assisti a milhares de pessoas morrerem, inclusive meu pai, sempre me questionando se eu seria a próxima. E, no entanto, eu ainda estava ali. Eu até hoje não consigo encontrar uma resposta concreta, só sei que tive muita sorte ao longo de todo esse percurso e consegui resistir bravamente às dificuldades que me eram impostas.

No meu período em Bergen-Belsen eu assisti a milhares de pessoas morrerem, inclusive meu pai, sempre me questionando se eu seria a próxima. E, no entanto, eu ainda estava ali.

Enquanto eu estava me recuperando do tifo, Leonard Berney enviou outra carta para minha família informando meu estado, que eu havia adoecido mas estava recebendo cuidados. Esta carta foi enviada já no fim de maio de 1945, quando a situação já estava melhor para todos no campo.

No dia 19 de maio de 1945 foi transferido para a Escola de Tanques o último ex-prisioneiro de Bergen-Belsen. Demorou mais de um mês até que fosse possível que todos os remanescentes deixassem para sempre aquele local. Foram necessários muito trabalhadores para que tudo isso fosse possível: soldados britânicos, estudantes de medicina vindos da Inglaterra, enfermeiras de cidades alemãs próximas (algo que causou certa aversão em parte dos prisioneiros, afinal eram alemãs). Para estar ali, era necessária uma preparação que ninguém tinha, mas todos tiveram que ser fortes e superar o choque para nos ajudar. Ninguém poderia estar preparado para o que havia acontecido naquele campo de horror chamado Bergen-Belsen.

Para estar ali, era necessária uma preparação que ninguém tinha, mas todos tiveram que ser fortes e superar o choque para nos ajudar.

Como não havia como manter o campo devido às suas péssimas condições, foi necessário que tudo fosse queimado. Todas as barracas foram postas em chamas para não deixar nenhum vestígio do que havia acontecido. A última das cem barracas foi queimada no dia 21 de maio de 1945.

As chamas podem ter acabado com toda a estrutura do campo, mas, no entanto, não eram suficientes para apagar da memória tudo o que acontecera ali. Todos os que passaram por lá, desde os prisioneiros até aqueles que trabalharam depois da libertação, jamais esqueceriam aquele cenário de destruição – isso o fogo não poderia dizimar.

Assim como Bergen-Belsen, a guerra também estava chegando ao fim. Como não havia mais forças para os alemães resistirem e a derrota já era um fato, a Alemanha nazista decidiu se render. No dia 8 de maio de 1945 foi anunciada a assinatura do documento que representava a capitulação da Alemanha. A guerra, no entanto, só seria realmente encerrada no dia 2 de setembro daquele ano, com a capitulação do Japão, que lutava ao lado dos nazistas. Nos dias 6 e 9 de agosto, o mundo ainda presenciaria o lançamento das bombas atômicas dos americanos sobre Hiroshima e Nagasaki, deixando um mar de destruição no local. Essa foi mais uma demonstração de como o homem pode causar mal ao mundo, e como a guerra só serve para a destruição.

Agora que Bergen-Belsen havia chegado ao fim, as pessoas estavam ansiosas para retornar para casa. Havia aquelas, no entanto, que não desejavam voltar para o país de origem. Esse era o caso dos prisioneiros dos países do leste, como a Polônia. Agora que a guerra havia chegado ao fim e os alemães não mais ocupavam esses países, a Polônia e diversos outros países estavam sob o domínio do Regime Soviético, algo que amedrontava essas pessoas. Eles temiam que ao retornar para casa estariam de novo sob o domínio de um regime autoritário e não pudessem desfrutar da sonhada liberdade. Foi nesse cenário que muitas pessoas buscaram a imigração para a Palestina como alternativa de se conseguir um lugar para morar, apesar das restrições impostas pelas autoridades britânicas.

Mesmo após a libertação, treze mil pessoas morreram por não conseguirem resistir mais. Toda a assistência daquelas pessoas e o esforço que despenderam para salvar os ex-prisioneiros não foram suficientes para evitar a morte de milhares de outros. Depois que o campo de Bergen-Belsen foi posto em chamas e fechado, uma placa foi posicionada na entrada: "Dez mil mortos foram encontrados aqui, outros treze mil morreram desde então, todos vítimas da nova ordem alemã na Europa e um exemplo da cultura nazista". Ao todo, mais de seis milhões de judeus foram mortos nos diversos campos de concentração, campos de extermínio e guetos impostos pelos nazistas. Esses são os números oficiais, mas pelo que vivi e vi acontecer ao meu redor, desconfio que o número de pessoas que perderam a vida foi ainda maior.

Ao todo, mais de seis milhões de judeus foram mortos nos diversos campos de concentração, campos de extermínio e guetos impostos pelos nazistas.

Depois de acordar do coma, fui transferida para um hospital em Celle, na Alemanha, onde já estaria me preparando para recomeçar a minha vida. Ainda no hospital, recebi a visita de outro membro do alto escalão das tropas britânicas, que desejava conhecer a "inglesa" que havia sobrevivido. Esse, certamente, foi mais um dos feitos de Leonard Berney.

Agora eu estava me preparando para voltar para casa. Eu estava livre e deveria começar minha vida novamente. Eu deveria voltar para a Holanda, para o meu país, mas não tinha a menor ideia de como seria meu futuro lá: meu pai estava morto, e eu não sabia onde minha mãe e meu irmão estavam, ou mesmo se eles voltariam. Além disso, a minha saúde estava extremamente debilitada para que eu já conseguisse ter uma vida normal. A libertação poderia significar uma realidade longe de Bergen-Belsen, mas não uma vida de paz e tranquilidade.

CAPÍTULO 8

O retorno para a Holanda

O Terceiro Reich havia mesmo chegado ao fim e o mundo entrava em uma nova configuração, apesar de a guerra só ter sido oficialmente encerrada em setembro de 1945, com a capitulação dos japoneses. Hitler não desejava amargar mais uma derrota alemã, fato que já havia vivenciado na Primeira Guerra Mundial como soldado, decidindo então, com uma atitude drástica – ou covarde –, não ser preso pelas tropas dos Aliados, seus inimigos. No dia 22 de abril de 1945, os Aliados enviaram um telegrama recomendando que os alemães protegessem Berlim – Hitler sabia que era tarde demais para qualquer tentativa que objetivasse evitar a derrota. Ele e sua mulher, Eva Braun, estavam escondidos em um bunker quando deram fim à própria vida, no dia 30 de abril de 1945. Hitler deu um tiro na própria cabeça e ela tomou veneno. Esse foi o desfecho do homem que liderou o maior massacre da história contra todos aqueles que não pertenciam à "pura raça ariana" segundo suas convicções.

Depois de deixar o território alemão, eu voltava para a Holanda com um misto de ansiedade, medo e tristeza profunda. Era estranho regressar à Holanda depois de tudo o que havia acontecido, parecia que tinham se passado anos e anos desde que nossa vida havia virado de cabeça para baixo. Eu não sabia como seria a minha vida de volta ao meu país, ou o que eu encontraria lá. Certamente, havia bastante destruição, pois boa parte da Europa estava devastada devido aos anos de batalha da Segunda Guerra Mundial. A Holanda havia sido libertada do domínio alemão no início de maio de 1945. No final de 1944, os Aliados já travavam batalhas para a libertação da Europa. Antes da Holanda ser libertada, no final de 1944, teve início um inverno muito rigoroso que afetou a população do país, circunstância agravada pela guerra: milhares de pessoas que não foram deportadas por não serem judias, mas que viriam a morrer de fome, frio e doenças. Esse período ficou conhecido como *Hongerwinter*.

A minha situação era muito difícil: eu não sabia o que havia acontecido com a minha mãe e o meu irmão, não tínhamos mais nossa casa – que fora confiscada assim que havíamos sido deportados – e ainda estava com uma saúde extremamente debilitada para já seguir lutando pela minha vida. Mas a batalha pela minha sobrevivência deveria continuar: o período no campo de concentração havia chegado ao fim, mas eu ainda carregava todos os traumas e consequências físicas do período em Bergen-Belsen. Não era porque a libertação ocorreu que tudo seria fácil. Eu ainda enfrentaria muitas outras dificuldades.

Devido à minha condição debilitada, voltei para a Holanda em um avião da força aérea britânica junto a um pequeno grupo que estava na mesma condição. As autoridades devem ter percebido que não aguentaríamos uma viagem de trem nas condições em que estávamos.

Está registrado no meu passaporte que eu guardo até hoje: dia 24 de julho de 1945 foi o dia em que eu estava de volta ao meu país. Fui levada para Eindhoven, uma cidade localizada no sul da Holanda. Quando cheguei, fui levada para uma escola católica em que haviam providenciado um lugar para os sobreviventes ficarem. No entanto, fiquei por um curto período nesse local; não era de bom grado que as pessoas da escola recebessem os ex-prisioneiros, e logo queriam a escola de volta para o reinício das aulas. Nesse momento eu começava a perceber que as pessoas não estavam tão interessadas em nos ajudar.

Após esse curto período em Eindhoven, fui transferida para Santpoort, uma cidade já mais próxima de Amsterdã. Lá, fui alojada em um sanatório que haviam preparado para receber sobreviventes de campos de concentração. Seria nesse lugar que eu passaria os próximos três anos da minha vida, anos em que mais uma vez estaria confinada em um local com outras pessoas, mas dessa vez para conseguir me recuperar e voltar a ter uma vida normal.

O sanatório era localizado em um lugar extremamente bucólico, com toda a vegetação e a tranquilidade típicas do interior, bem diferente da cidade agitada que era Amsterdã. Lembro-me que era frequente recebermos visitas de cabras no sanatório, por exemplo, que entravam para roubar nossa comida. Ouço o barulho das cabras pelo sanatório como se fosse hoje – não estava em casa, mas como era bom não estar mais no campo de concentração!

Quando cheguei lá, primeiramente fiquei em uma enfermaria improvisada. Depois fui transferida para outro espaço. Minha cama ficava na varanda entre dois vidros no telhado. No entanto, ainda havia goteiras quando chovia e, por isso, deixavam minha cama entre as goteiras para não ficar molhada e correr sérios riscos de piorar ainda mais minha saúde.

Apesar de já estar curada do tifo, agora eu teria que lidar com outras doenças: tuberculose e pleurite. Ambas afetavam o meu pulmão, prejudicando minha capacidade respiratória. Devido à tuberculose, eu sentia um cansaço e fraqueza excessivos, então deveria ficar a maior parte do tempo na cama descansando. A tuberculose é uma doença da qual não se cura rapidamente, e foi esse um dos motivos de eu ter que passar tanto tempo no sanatório me recuperando.

Será que minha mãe e meu irmão estariam vivos? Será que eu ainda teria uma parte da minha família?

Era uma situação angustiante ter que ficar ali, sem poder seguir com a minha vida e sem ter notícias dos meus parentes. Será que minha mãe e meu irmão estariam vivos? Será que eu ainda teria uma parte da minha família? Eu estava determinada a saber o que havia acontecido com eles, porque essa notícia definiria a minha vida dali para frente.

Depois que os campos começaram a ser libertados, tornou-se intenso o trânsito de pessoas por todo o território europeu: pessoas que tentavam retornar para suas casas, pessoas que buscavam um recomeço em outro lugar, pessoas tentando se encontrar com o resto da família. A Cruz Vermelha estava fazendo um enorme trabalho para informar os parentes daqueles que haviam falecido, estimando até possíveis datas. No entanto, milhões de pessoas perderam a vida na Segunda Guerra Mundial; só de judeus foram registradas seis milhões de mortes. Dá para imaginar os problemas de comunicação que isso demandava? A Europa estava tentando se estruturar em meio a um caos que não parecia organizável tamanha a dimensão.

Enquanto alguns iam para casa, outros estavam encontrando a justiça. Em setembro de 1945 deu-se início, na cidade de Lüneburg, na Alemanha, um tribunal para julgar os crimes cometidos em Bergen-Belsen, liderado pela Corte britânica. O tribunal terminou decretando sentença de morte para vários dos que tiveram participação nas atrocidades cometidas no campo, entre eles Josef Kramer e Irma Grese. O mais impressionante é que, apesar de tudo, os criminosos continuavam considerando não ser errado o que eles haviam feito, pois estavam apenas cumprindo ordens. Como a morte de milhões de pessoas poderia ser justificada por "ordens a serem cumpridas"?

Apesar de tudo, os criminosos continuavam considerando não ser errado o que eles haviam feito, pois estavam apenas cumprindo ordens.

Irma Grese, inclusive, ao ser questionada se era obrigada a torturar os prisioneiros, respondeu objetivamente:

"Não!". Assim como também negou estar arrependida de todos os seus atos. Ela acabou sendo condenada à forca aos 22 anos de idade e, na hora de sua execução, sua última palavra foi "Schnell!" ("Rápido" em alemão).

Irma Grese acabou sendo condenada à forca aos 22 anos de idade e, na hora de sua execução, sua última palavra foi "Schnell!" ("Rápido", em alemão).

De alguma forma que vai além da compreensão comum eu já pressentia que não voltaria a ver a minha mãe nem meu irmão. Eu precisava de algo concreto para confirmar o sentimento, mas no fundo eu já sabia. Lembro-me de um sonho que tive que era praticamente a notícia que eu precisava: sonhei que estava toda a família junta, eu, meu pai, minha mãe e meu irmão. No entanto, em dado momento do sonho, eu andava em uma direção, ao passo que toda a minha família seguia para a direção oposta. Esse sonho me dizia que eu estava sozinha no mundo.

E não demoraria para receber a confirmação que fazia com que todas as minhas esperanças fossem despedaçadas. Sim, eu tinha tudo para saber que eu não veria minha mãe novamente, todas as evidências apontavam para esse fato, mas, quase que por uma teimosia, esperava que a minha razão estivesse enganada e minha mãe aparecesse um dia, de repente, ao lado do meu irmão para me buscar no sanatório.

Minhas esperanças cessaram no dia em que eu recebi a triste notícia por intermédio de um amigo da família. Esse amigo tinha negócios na Suécia e foi para lá buscar informações sobre seus parentes. Quando pesquisava para saber o que havia acontecido, encontrou duas senhoras que estiveram com a minha mãe e confirmaram sua morte. Era assim que se buscava notícias de familiares após a libertação, recriando os possíveis trajetos e indo atrás de pessoas que poderiam ter alguma informação, qualquer que fosse. Os órgãos oficiais não davam conta de tantas mortes.

Em abril de 1945, minha mãe estava trabalhando em péssimas condições na fábrica de componentes para aviões em Magdeburg. Com o final da guerra se aproximando e toda a operação de transferência que os alemães estavam realizando, no dia 10 de abril de 1945, 2 mil mulheres que trabalhavam nessa fábrica de aviões foram colocadas em um trem sem destino. Esse trem eventualmente chegou à Suécia, mas minha mãe nunca chegou até lá. A data oficial de sua morte é dia 10 de abril de 1945. No entanto, ela deve ter falecido alguns dias depois da partida do trem, talvez por não possuir mais forças. Esse foi o relato que as senhoras fizeram ao amigo do meu pai. Não sei o que foi feito com o corpo da minha mãe, então nunca tive a oportunidade de me despedir dela.

Não sei o que foi feito com o corpo da minha mãe, então nunca tive a oportunidade de me despedir dela.

Em relação à morte do meu irmão, eu nunca soube ao certo o que aconteceu, não tive como confirmar. Eu imagino que os militares da SS o tenham fuzilado assim que chegou ao campo de Oranienburg, local para onde foi deportado um dia antes de minha mãe partir, e seu corpo tenha sido jogado em uma vala. Apesar de ter feito pesquisas no registro do campo, nunca consegui confirmar nada: não há registro da morte do meu irmão, como se ele nunca tivesse existido. A certeza que tenho é de que eu nunca mais voltei a vê-lo. Minha família foi inteiramente destruída.

Quando eu percebi com clareza a situação em que estava, quase enlouqueci. Estava quase sem forças, doente, e ainda não tinha mais minha família. O que eu faria a partir daí? Como poderia ser possível sobreviver sozinha e sem dinheiro em um mundo que não era nada cordial com os sobreviventes do Holocausto? Teria eu forças para aguentar todo esse peso a mais, nos meus ombros?

Eu fiquei realmente deprimida com a minha situação, mas logo percebi que aquilo em nada me adiantaria: ficar me lamentando da vida e de tudo que aconteceu comigo não ia resolver meus problemas. Além disso, quem iria querer uma órfã louca no mundo? Certamente, não conseguiria me readaptar agindo dessa forma. Foi assim que logo me recuperei e decidi que não iria assumir o papel de pobre coitada, vítima das circunstâncias do mundo. Eu já tinha sobrevivido, apesar de tudo, não me daria por vencida e seguiria lutando para conseguir retomar o controle sobre meu destino. Afinal, apesar de ter perdido a minha adolescência e a minha família, eu ainda era uma jovem de 16 anos.

Foi assim que logo me recuperei e decidi que não iria assumir o papel de pobre coitada, vítima das circunstâncias do mundo.

Como estava praticamente sem família na Holanda e era menor de idade, foi necessário que eu tivesse um tutor e uma tutora. Ambos eram antigos amigos da minha família. Desde o começo, me ajudaram e foram muito leais a mim. Lembro que diversas vezes quando meu tutor foi me visitar no sanatório, estava frio e eu dizia: "Acho melhor o senhor entrar". Afinal, minha cama era em um terraço. Ele, no entanto, recusava-se dizendo: "Se serve para você, serve para mim também". Ele sempre ia me visitar e sempre ficava ao meu lado, foi uma força imensa!

Ele me ajudou também a administrar o pouco dinheiro que me era destinado. O governo da Holanda não ajudou nenhum dos sobreviventes, ninguém prestou nenhum auxílio mesmo quando todos os nossos bens haviam sido confiscados – ou melhor, roubados de nós. Aparentemente, não havia consciência dessa situação, nós deveríamos simplesmente nos virar. Eu tinha uma pequena ajuda de custo do banco, que me era de direito por conta do trabalho prestado por meu pai. Era realmente uma pequena colaboração, o valor era irrisório, mas, no entanto, ajudou a pagar minhas despesas no sanatório nos anos em que estive lá.

O governo da Holanda não ajudou nenhum dos sobreviventes, ninguém prestou nenhum auxílio.

No sanatório não havia muito com o que passar o tempo. Poderia ficar em pé, durante alguns momentos, mas a maior parte do tempo eu devia permanecer deitada para poder me recuperar da tuberculose. Para que as horas não fossem intermináveis, eu passava a maior parte do tempo escrevendo cartas. Lá também havia um rádio que em alguns momentos ficava ligado – ainda não havia a disseminação da televisão na época. Nos horários de descanso o rádio deveria permanecer desligado, mas, nos outros períodos, eu e os outros sobreviventes que estavam ali poderíamos sonhar com aquelas notas que saíam do aparelho. Além disso, lia alguns livros que chegavam até mim.

Fora isso, além das visitas do meu tutor, eu recebia outras pessoas no sanatório. Lembro que, ainda em Eindhoven, uma das primeiras visitas que recebemos foi de soldados da Brigada Judaica. Eles vieram perto do Rosh Hashaná, ou Ano-Novo Judaico, uma data religiosa celebrada no final de setembro, em que o judeu deve refletir sobre suas ações no ano que se passou.

Em outubro de 1945 eu recebi uma grata surpresa: Otto Frank havia enviado uma carta ao sanatório dizendo que desejava me visitar.

Em outubro de 1945 eu recebi uma grata surpresa: Otto Frank havia enviado uma carta ao sanatório dizendo que desejava me visitar. Hannah Goslar o havia informado de minha localização e também que eu havia me encontrado com Anne em Bergen-Belsen. Otto veio me visitar. Lembro que eu estava muito debilitada quando ele veio me ver, e ele, por sua vez, estava triste, pois encontrou pessoas que confirmaram que Anne e Margot haviam morrido em Bergen-Belsen.

Em sua visita Otto me contou que estava planejando publicar o diário de Anne, que Miep Gies o havia entregado quando regressara a Amsterdã. Lembrei-me de quando encontrei Anne em Bergen-Belsen e de como ela sonhava com a publicação desse diário, mas que não estaria aqui para vivenciar isso. Otto me perguntou o que eu achava da ideia e eu disse: "Bem, se o senhor acha que deve publicar, então o faça." E então a primeira edição do diário foi feita em 1947. Otto gentilmente me presenteou com um exemplar dessa edição. Emprestei o livro a um tio e nunca mais recebi de volta, mas lembro que era uma edição em papel jornal.

Era realmente muito triste Anne não estar viva para ver seu sonho ser realizado. Ela se tornou uma escritora famosa como desejava. No entanto, da sua família, só Otto pôde presenciar isso acontecendo. Muitos sonhos foram destruídos durante o Holocausto, muitos sonhos que não tiveram tempo de ser realizados.

Muitos sonhos foram destruídos durante o Holocausto, muitos sonhos que não tiveram tempo de ser realizados.

Outra visita bem marcante que recebi durante o meu período no sanatório foi da minha tia da Inglaterra. Ela me escreveu em janeiro de 1946 informando que iria me visitar – eu mal podia conter a minha ansiedade e felicidade por poder reencontrar alguém da minha família! Minha tia embarcou em um dos primeiros navios que levaram civis após a Segunda Guerra Mundial. Lembro que ela veio me visitar em um uniforme militar porque trabalhava como secretária em um clube para militares judeus na Inglaterra.

O reencontro com minha tia foi algo muito emocionante e ao mesmo tempo muito difícil. Não havia muito o que falar, pois a maior parte da nossa família havia sido destruída na guerra – o nosso encontro era a representação do que sobrara de nós.

Outro membro da minha família com quem eu me correspondia estava em outro continente, era um primo que morava nos Estados Unidos. Lembro que um dos primeiros pacotes que recebi depois do final do meu período no campo de concentração foi enviado por ele: recebi um kit de "primeiras necessidades", afinal eu não tinha nada. Nesse kit havia escova de cabelo, creme dental, escova de dente – tudo básico, mas de grande ajuda. Era muito bom receber isso, não só pela necessidade dessas coisas, mas também pelo carinho e a preocupação dele comigo. Ele também, em alguns momentos, me enviava pequenas quantias de dinheiro para me ajudar.

Lembro que nessa situação acabei conhecendo um membro da minha família que eu nunca havia visto antes. Um dia apareceu no sanatório um soldado trajando *kilt*, a típica saia escocesa usada pelos homens, dizendo que era meu parente e que queria me ver. As enfermeiras ficaram curiosíssimas com aquela situação – um homem trajando uma saia no meio do sanatório – e não paravam de segui-lo. Ele se apresentou a mim e disse que nossas mães eram primas, que era um major da Brigada Escocesa e que soube da minha situação através da nossa família na Bélgica. Então decidiu que precisava vir me visitar e convenceu o seu superior a emprestar seu carro para ir até a Holanda. Realmente, essa era uma situação muito inusitada e engraçada!

A visita desse meu novo primo não alegrou só a mim, mas também aos outros pacientes do sanatório: ele trouxe providências que achou que poderiam me ajudar, então, embaixo da minha cama fiz um estoque de chocolates, sabão e outros presentes que ele havia me dado.

Eu deixava tudo guardado embaixo da minha cama e repartia com os meus companheiros ali no sanatório. Uma prima da minha mãe que morava em Antuérpia frequentemente me visitava também, trazia comida, tricotava meias e fez de tudo para me ajudar. As filhas dela também vieram e até hoje somos amigas. Essas visitas nos renderam momentos felizes.

Esses eram pequenos momentos de alegria em meio a tudo aquilo que eu vivera nos últimos anos e estava vivendo no sanatório. Não recebia muitas visitas da família, afinal, quase não havia mais família – a maior parte da comunidade judaica da Europa havia sido dizimada. No entanto, esses pequenos gestos de gentileza, como um primo até então desconhecido dirigir de *kilt* até a Holanda para me visitar, poderiam deixar o dia um pouco melhor.

Não recebia muitas visitas da família, afinal, quase não havia mais família - a maior parte da comunidade judaica da Europa havia sido dizimada.

Eu voltei a encontrar esse meu primo em 1972, quando fui para Israel. Lembro que, quando ele me viu, ficou sem palavras, apenas me abraçou. Não acreditava que aquela menina fraca e magrinha que ele havia visitado no sanatório havia sobrevivido e conseguido recuperar sua saúde. Ele me olhava como se eu fosse um milagre, e talvez fosse isso realmente.

Os outros pacientes que estavam no sanatório também eram sobreviventes de campos de concentração. Havia pacientes de diversos campos e com diversas histórias. Nós conversávamos sobre o que havíamos passado durante aquele tempo de horror, algo que ajudava também na minha recuperação.

No sanatório, eu tinha uma amiga que também era judia e havia sido deportada para Auschwitz. Ela trabalhava lá extraindo dentes de ouro dos mortos do campo de concentração. Um dia, os alemães a colocaram na câmara de gás, pois eles não precisavam mais do trabalho escravo dela. Quando ela já estava dentro da câmara de gás para ser morta, as tropas soviéticas aproximaram-se do campo. Os guardas da SS ficaram desesperados e tiraram todos que estavam na câmara aguardando pela morte e os colocaram em um trem para que seguissem para outro campo. Ela conseguiu sobreviver por conta de um segundo.

Na Polônia, o Holocausto foi realmente muito sangrento e desesperador, não somente pelos campos de extermínio, mas pelo que foi feito com a população local. Essa história me lembra de quando eu estava no Liceu Judaico, em 1941, e havia uma aluna polonesa na nossa sala, a Danka. Ela me contou que na Polônia os alemães estavam matando os judeus por asfixia de gás em grandes caminhões que eram hermeticamente fechados. Na época eu não consegui acreditar, mas depois de tudo que vivi, penso que essa conversa foi um prelúdio do que viria a seguir.

No sanatório havia também pacientes que haviam estado em campos de concentração dos japoneses na Indonésia – campos de concentração não era uma exclusividade nazista na Segunda Guerra Mundial. A

Indonésia era uma colônia holandesa, mas, quando a Holanda foi ocupada pelos alemães, os japoneses a invadiram e estabeleceram alguns campos de concentração, nos quais mantiveram como prisioneiros alguns europeus, entre eles holandeses. Os relatos que ouvi dos sobreviventes desses campos mostram que os japoneses foram tão brutais quanto os nazistas.

Os relatos que ouvi dos sobreviventes desses campos mostram que os japoneses foram tão brutais quanto os nazistas.

Os judeus têm um senso de comunidade muito forte, então aqueles que eram de cidades próximas passaram a nos visitar. Lembro que isso causava certo ciúme entre os que não eram judeus. Houve um caso de uma menina judia que estava com problema no pulmão e, para salvá-la, a comunidade judaica se ofereceu para pagar sua operação na Suíça – o que, infelizmente, não a salvaria mesmo assim. Como não era possível evitar sua morte, eles então ficaram com ela nos seus últimos dias e acompanharam o enterro.

Eventualmente, uma cidade próxima, Aalsmeer, adotou o sanatório como causa e passou a oferecer entretenimento para todos. Lembro-me de concertos que eles planejaram só para nós, algo que nos deixou muito felizes.

Demorou três anos até que eu pudesse me recuperar o suficiente para sair de lá. Foi necessário cerca de um ano até que meu sistema digestivo voltasse a funcionar normalmente – antes disso não era possível ganhar peso. Lembro que voltar a pesar cinquenta quilos foi uma conquista enorme para mim, uma luta pela minha sobrevivência, e escrevi para a minha tia na Inglaterra contando essa vitória particular que havia alcançado.

Depois de tanto tempo, eu estava ansiosa para sair dali e voltar a viver normalmente. Os responsáveis pelo sanatório não queriam me dispensar, pois diziam que eu ainda não estava em condições de ter uma vida comum. Eu, por outro lado, não sabia até quando poderia aguentar ficar enclausurada, anos de campos de concentração e anos de recuperação já eram mais do que suficientes para mim.

A demora de minha recuperação mostra o quanto os tratamentos em Bergen-Belsen foram brutais, e foi preciso muito esforço e paciência para que eu pudesse superar tudo isso. Havia não só o sofrimento psicológico que eu deveria superar, toda a perda que eu sofri, toda a minha juventude roubada e as cenas do campo que tanto me traumatizaram, mas também as lembranças físicas do campo, que assolavam meu corpo como se nunca quisessem me abandonar.

Nessa época, eu me comunicava com a enfermeira que havia morado na minha casa para cuidar do meu irmãozinho mais novo, que falecera tão cedo devido a problemas cardíacos. Como o sanatório afirmava que eu ainda não estava totalmente curada, ela foi até lá dizendo: "Se eu que sou uma enfermeira registrada não posso cuidar de Nanette, quem poderá?". Eles me liberaram graças à insistência dela, ainda que a contragosto, dizendo que eu deveria descansar pela manhã e à tarde para não abalar ainda mais a minha saúde.

Para certificar-se de que eu estava realmente bem, a enfermeira ainda me levou a dois outros médicos solicitando a opinião deles – e os dois disseram o que eu mais queria ouvir naquele momento: "Nanette deve ter uma vida normal, andar de bicicleta, respirar ares do campo e voltar a ser feliz". Eu mal podia acreditar que finalmente iria viver com mais liberdade. Era algo maravilhoso!

Então, em maio de 1948, fui morar com a enfermeira, o seu marido e o filho pequeno. Era um lugar muito bonito, localizado no interior, com muitos bosques para que eu pudesse caminhar e andar de bicicleta. Eles moravam na propriedade de um castelo; o lugar era enorme. Depois de todo aquele tempo sem a menor privacidade, agora eu teria um quarto só para mim novamente.

O marido da enfermeira não estava muito feliz com a minha presença ali e não conversava muito comigo. Ele era um luterano fervoroso, que lia todos os dias depois do almoço o Novo Testamento. Eles iam aos cultos todos os domingos e gostariam que eu fosse também para tocar piano na igreja, algo que eu cordialmente recusava. A enfermeira, no entanto, era muito carinhosa comigo e sempre me levava para passear. Tenho muito a agradecer pela maneira como me recebeu; naquele momento ela foi um apoio muito importante para que eu seguisse buscando uma vida melhor.

Apesar de estar bem ali, eu não queria ficar para sempre, e nem seria possível. Eu me comunicava constantemente com a minha família na Inglaterra, e eles expressavam o desejo de que eu fosse morar com eles. Minha tia veio da Inglaterra e conversou com meu tutor a respeito, e acharam que poderia ser uma boa ideia – afinal, eles eram minha família.

Em dezembro de 1948 fui para a Inglaterra passar seis semanas com todos, algo como um período de adaptação. Ainda retornei à Holanda para ficar mais alguns meses morando com a família da antiga enfermeira de meu irmãozinho. No entanto, aqueles seriam os meus últimos meses de estadia na Holanda.

Em abril de 1949 me mudei definitivamente para a Inglaterra para iniciar minha nova vida.

Em abril de 1949 me mudei definitivamente para a Inglaterra para iniciar minha nova vida.

Em abril de 1949 me mudei definitivamente para a Inglaterra para iniciar minha nova vida. Eu quase não tinha bagagem, pois, depois que eu me vi livre do pesadelo de Bergen-Belsen, foi preciso construir minha vida novamente, começando do zero realmente.

A Holanda é meu país natal, o país onde fui feliz com minha família e pude ter uma infância cheia de boas recordações. Entretanto, foi na Holanda também que se iniciou o pior momento de minha vida; foi naquele país que eu deixei tudo para trás e para lá que retornei sem minha família, sem tudo que eu amava.

Agora, era necessário reiniciar minha história em outro país e de outra forma. Eu ainda não sabia como iria fazer isso, como ia me sustentar com o pouco dinheiro que recebia do banco, mas estava determinada a lutar para me restabelecer. Afinal, eu não havia chegado até ali para desistir. As circunstâncias já haviam sido um pesadelo, e mesmo assim eu resistira. Então, seguiria lutando.

CAPÍTULO 9

Nova vida na Inglaterra

Cheguei à Inglaterra com uma vida inteira para reconstruir. Eu tinha apenas vinte anos e, no entanto, mais de cinco deles haviam sido tomados de mim, uma juventude que eu não tive chance de desfrutar normalmente. Se considerasse desde o início da ocupação da Holanda, passei praticamente nove anos de medo e ansiedade – aos vinte anos, os rumos de quase metade da minha vida foram ditados pela doutrina nazista e suas consequências.

Agora que não mais moraria em meu país de origem, eu deveria começar a planejar uma vida adulta sem nunca ter passado pela adolescência. De um dia para o outro foi necessário deixar de ser criança para ter uma postura madura diante das situações. Agora que eu poderia planejar meu futuro, minha maior preocupação era como iria me manter financeiramente, visto que havia apenas a irrisória ajuda que o Banco de Amsterdã me oferecia. Nesse cenário, não poderia depender de ninguém; era preciso, então, lutar pelo meu próprio dinheiro.

Fui morar com as minhas tias na região de Kingsbury, em Londres. Era uma casa simples e bem pequena, onde eu moraria com um casal de tios e uma tia que era solteira. Era difícil, no entanto, estar em família sem me lembrar de meus pais e meu irmão – era quase impossível superar a dor da perda; ela era enorme e passou a residir em meu ser com poucas chances de ir embora. Esquecer e viver uma rotina normal era impossível: a todo momento eu me lembrava de tudo que havia me assolado.

Logo que cheguei em Londres passei a dividir um quarto com a minha tia solteira. Esse arranjo, no entanto, teve que ser refeito em pouco tempo, pois ela era uma senhora com seus costumes e eu, uma jovem que queria ler e ocupar a cabeça o máximo de tempo possível, afinal, dormir também me fazia sonhar com os tempos de horror. Passei, então, a ocupar um pequeno quarto sozinha, onde poderia ficar com a luz acesa, lendo e escrevendo até a hora que desejasse.

Mas não era só eu quem sofria com a perda de membros da família. Meus tios também estavam tentando se recuperar desse trauma tão devastador que havíamos enfrentado em nossa vida. Na casa dos meus tios não era permitido falar nada sobre o que eu havia passado no campo de concentração durante os anos de guerra. Eu penso que eles achavam que, ao não falar, estaríamos negando o que aconteceu, e aí Bergen-Belsen e as mortes passariam a não mais fazer parte da realidade, como se não tivessem ocorrido. Meus tios pensavam que, com essa atitude, eles estariam me protegendo, mas o efeito era justamente o contrário, porque era angustiante não poder compartilhar com outras pessoas os meus pensamentos e o que eu havia enfrentado.

Quem não viveu em um campo de concentração não pode imaginar que, mesmo quando você deixa o campo, o campo não deixa você, não há paz. Toda a humilhação que eu e os outros sobreviventes sofremos naqueles anos era demasiadamente insuportável para ser deixada para trás. Alguns sobreviventes seguiram com a vida e formaram famílias apesar dos traumas; poucos, no entanto, não conseguiram lidar com a pressão e acabaram se suicidando. Eu escolheria pela vida e por seguir em frente, apesar do peso da bagagem que eu deveria carregar.

Quem não viveu em um campo de concentração não pode imaginar que, mesmo quando você deixa o campo, o campo não deixa você, não há paz.

Mesmo tendo sofrido com esse silêncio imposto por parte da minha família, eu não julgo as ações de meus tios. Afinal, para eles foi muito difícil também lidar com a tragédia de ter perdido praticamente toda a família na Segunda Guerra Mundial. Eles estavam em um território que não foi ocupado pelos nazistas, no entanto, eles também sofreram na pele a extensão dos acontecimentos. Minha prima, apesar de ser surda, me entendia mais do que os outros e me apoiou muito.

A casa da minha família em Londres era um lar judaico tradicional; eles seguiam realmente os preceitos do judaísmo. Na religião judaica, é comum acender uma vela pelos entes queridos que já faleceram. Dessa forma, minha tia acendia velas nos dias em que ela achava que meus pais, minha avó e todos os outros membros da família haviam falecido. Eu observava tudo sabendo que nada daquilo resolveria, que a nossa dor não seria diminuída em nada, até que um dia falei: "Acho melhor a senhora parar de fazer isso, pois vai terminar tendo que acender velas o ano inteiro. Não são poucos os falecidos". Eu não poderia falar sobre a guerra e, no entanto, havia uma vela para todos os lados de membros da família que faleceram, me lembrando de tudo que as palavras não poderiam expressar.

Antes de ir para a Inglaterra foi feito um acordo com meus tutores: eu deveria retornar duas vezes por ano à Holanda para visitá-los. Durante esses retornos eu poderia falar melhor sobre os acontecimentos, pois me encontrava com sobreviventes de campos de concentração – era um alívio poder falar tudo que estava entalado em minha garganta. Lembro que uma vez eu passei um tempo dividindo o quarto com a minha prima surda e ela me disse: "Você quer saber o que você fala durante a noite?". Eu tinha muitos pesadelos que se passavam em Bergen-Belsen. Era algo que não saía da minha cabeça. Essa minha prima, mesmo não podendo escutar o que eu falava à noite, teve a sensibilidade de perceber que eu tinha muitos sonhos angustiantes. Os pesadelos eram parte do cotidiano de todos os ex-prisioneiros. As nossas memórias dos tempos de guerra eram muito traumatizantes, e os nazistas haviam conseguido roubar nossos sonhos bons.

As nossas memórias dos tempos de guerra eram muito traumatizantes, e os nazistas haviam conseguido roubar nossos sonhos bons.

Em uma das vezes em que retornei à Holanda, meu tutor me disse que o presidente do Banco de Amsterdã, onde meu pai tinha sido diretor, havia recusado a transferência do meu dinheiro para a Inglaterra (algo que eu havia solicitado antes de partir), e eu era a única pessoa que conseguiria resolver isso. Essa situação toda era mesmo ultrajante.

O pior na situação era que eu realmente necessitava daquele dinheiro, mesmo que fosse pouco, então tive que ir atrás do problema para resolvê-lo. Eu deveria ir até o Banco Central e falar com o presidente para conseguir a liberação da transferência do dinheiro para a Inglaterra. E quem era o presidente do Banco? Bem, alguém que, infelizmente, tinha uma ligação comigo: era o marido da advogada que enganara minha família, dizendo que providenciaria a certidão de nascimento sul-africana da minha mãe, mas que nunca nos foi entregue, apesar de paga. Ele fez uma enorme cena, como se estivesse muito feliz em me ver. Me deu um beijo e disse: "Oi, querida! Que alegria em te ver". Eu, que não estava nada feliz em vê-lo e muito menos disposta a fazer teatros, fui logo dizendo: "Se o senhor não me der o que é meu por direito, eu vou falar para o mundo todo o que eu sei". Não recebi um beijo na saída, mas essa afirmação foi suficiente para conseguir o que queria.

Eu não sei como tive coragem de me comportar desse jeito na sala de um presidente do Banco Central, mas eu não tinha mais nada a perder. Lembro que, quando voltei da visita, o meu tutor me olhou e disse: "Eu não quero saber como você resolveu, eu te conheço". Apenas sorri e disse que ele não teria mais problemas como aquele em relação ao meu dinheiro.

Cheguei em Londres em abril de 1949 e minha tia achava que eu deveria estudar, então me matriculou no Queen's College, localizado na Harley Street. Era uma escola para moças ricas que já haviam finalizado o colegial – uma realidade totalmente oposta à que eu enfrentava. Insisti à minha tia que deveria arrumar um trabalho para ganhar dinheiro, então fiz um curso de secretariado e obtive um diploma que me permitia exercer a profissão.

Mal recebi o meu diploma e já parti em busca de um trabalho. Afinal, não conseguiria me manter com a pequena ajuda de custo do banco. Eu estava decidida a encontrar um emprego sem a ajuda de ninguém, e me candidatei a uma vaga em um banco com a esperança de que o meu diploma fosse suficiente para conseguir o cargo. Fui até o banco no dia combinado e o senhor que me entrevistava me disse: "Aqui só aceitamos quem possui referências, quais são as suas, senhorita?". Como eu poderia possuir referências ali? Mais uma vez, eu não receberia ajuda de ninguém. Eu apenas respondi: "Eu sou da Holanda". O entrevistador ficou me olhando e quando eu achava que ele estava prestes a me dizer "Então passar bem", ele disse: "Senhorita, quando entrou aqui o diretor fez uma aposta, disse estar certo de que você é filha de Martijn Willem Blitz, do Banco de Amsterdã, e ele gostaria de saber se ele ganhou a aposta. A senhorita é essa pessoa? É filha de Martijn Willem Blitz?"

Eu estava ali tentando conseguir por meu próprio esforço um emprego, mesmo sabendo a dificuldade disso. Meu pai, no entanto, era muito conhecido e respeitado no setor bancário, e eu pude constatar a influência de sua reputação nessa ocasião. Apenas consenti com a cabeça e o entrevistador me respondeu: "A senhorita já tinha um emprego desde que pisou aqui". No final, meu pai foi a minha referência.

Por tudo que havia acontecido na minha vida, eu estava determinada a não contar com a ajuda de ninguém mais, sabia que eu poderia confiar apenas na família e em poucas pessoas próximas. Nesse caso, foi meu querido pai quem me ajudou, mesmo não estando mais comigo. Martijn Willem Blitz pode ter sido vítima de um destino cruel, mas o seu legado não foi apagado por isso.

Eu fiquei muito aliviada quando consegui o emprego de secretária no banco, assim já garantiria uma quantia para o meu sustento. Foi então que meu tutor me aconselhou a abrir mão do que recebia do banco e, apesar de tudo, ainda tive de agradecê-los por toda essa "ajuda". Fiquei muito revoltada em ter que fazer isso, mas fiz em consideração aos meus tutores.

Logo comecei a trabalhar e, com o pouco que recebia, me permiti alguns "luxos" para conseguir viver melhor. Lembro que uma das primeiras coisas que comprei com o meu salário foi um pequeno aquecedor de ambientes – um artigo extremamente necessário durante o inverno londrino –, que pendurei em cima da minha cama, uma vez que o espaço do cômodo era muito limitado. Também comprei um pequeno armário para colocar as poucas roupas que possuía – essas eram pequenas conquistas, mas das quais muito me orgulhava.

A vida seguia e os ventos pareciam melhorar. No entanto, eu ainda me sentia um peixe fora d'água em Londres. Na Inglaterra, a juventude tinha pouco conhecimento sobre o que havia acontecido com a comunidade judaica na Holanda ou mesmo no resto do continente europeu durante a Segunda Guerra Mundial. Como as informações não eram disseminadas como atualmente, os detalhes do Holocausto não eram conhecidos pela maior parte das pessoas, era como se nunca tivesse acontecido. Assim, eu sentia que não me encaixava nem tinha afinidades com essa juventude que não havia passado por nada do que eu havia passado, sem nem ao menos ter ciência do que ocorrera.

Como as informações não eram disseminadas como atualmente, os detalhes do Holocausto não eram conhecidos pela maior parte das pessoas, era como se nunca tivesse acontecido.

Eu quase não tinha relacionamentos nessa época, além de sair com um grupo de jovens judeus. Quando não estava trabalhando, ficava a maior parte do tempo com a minha família – algo que os preocupava, na medida em que eu já era uma moça de mais de vinte anos. Meus tios passaram a me incentivar a sair mais e a levar uma vida normal, o que significava também encontrar um bom rapaz para construir uma família.

Depois de tudo que havia acontecida na minha vida nos últimos anos e de todas as perdas que eu havia sofrido, ter uma vida normal era algo muito difícil: como poderia deixar para trás tudo o que eu passara e fingir ser uma jovem normal da Inglaterra, fingir que nada daquilo me incomodava? No entanto, eu me esforcei para agradar aos meus tios e não preocupá-los mais.

Foi então que o irmão de um colega que havia estado comigo no sanatório de Santpoort, cujo pai morava em Londres, me convidou para ir a uma reunião sobre sionismo que reuniria muitos jovens, e eu decidi ir para que minhas tias ficassem mais tranquilas. Não era algo com o qual eu estava muito ansiosa, mas preferi comparecer para não contrariá-los.

Segui para o local da reunião, mas me perdi no meio do caminho. Eventualmente, encontrei um policial que me levou até a porta do lugar e, quando me deixou, disse: "Senhorita, é melhor se informar sobre o caminho de volta para não correr o risco de se perder mais uma vez e ficar vagando sozinha por aí". Depois da reunião, ouvi um grupo dizer que iria para a Golders Green, uma estação de Londres com acesso a metrô e ônibus, e de onde eu saberia seguir para a casa das minhas tias. Logo, perguntei: "Posso me juntar a vocês?". Um rapaz simpático se ofereceu para me acompanhar: "Senhorita, eu a levo para o ponto de ônibus".

Aceitei a proposta do rapaz, assim não me perderia novamente. Seguimos juntos para a estação e, assim que chegamos, ele me perguntou: "A senhorita tem namorado?". Diante de minha negativa, ele, então, de maneira petulante e surpreendente, me disse: "Bem, mas a senhorita não faz meu tipo, de qualquer maneira". Era realmente um rapaz audacioso, e esse não seria o nosso último encontro. Quando voltei para casa, minha tia, que estava ansiosa por saber dos detalhes do passeio da sobrinha, me perguntou como havia sido a reunião, e eu respondi que havia conhecido um rapaz, comentário que aumentou a curiosidade dela.

Uma semana depois, quando subia pelas escadas da estação de metrô Hampstead, acompanhando um tio que havia vindo da Holanda para visitar um membro da nossa família que estava doente, cruzei com o mesmo rapaz que eu havia conhecido na reunião sobre sionismo. Ele correu atrás de mim e perguntou se eu era a senhorita que ele havia encontrado no outro dia, e confirmei. Nossa conversa ficou por isso mesmo, mas meu tio informou minhas tias que eu estava tendo um caso sobre o qual ninguém estava sabendo – aparentemente, nem eu mesma sabia desse romance até então.

O rapaz logo descobriu o telefone de onde eu morava e ligou perguntando se poderíamos sair na sexta-feira daquela semana – considero que, afinal, eu deveria ser o tipo dele sim. Eu disse que não poderia, pois na nossa casa ninguém saía de sexta-feira à noite, pois era um lar judaico tradicional, e sexta era o sabá, dia de descanso semanal dos judeus. Ele não desistiu e ligou no banco me convidando novamente para sair. Eu não pude me conter e disse: "Você obteve boas informações, hein?". Liguei em seguida para a minha tia contando sobre o que estava acontecendo, e ela disse que eu deveria sair com ele. Caso não gostasse, não precisava sair mais.

Naquela época os relacionamentos eram muito diferentes dos de hoje em dia, e não se saía com ninguém sem que a família tivesse conhecimento, ainda mais em famílias judaicas. Quando minha tia consentiu que eu saísse com ele, já tinha informações suficientes para saber que era alguém digno de sua sobrinha. O rapaz em questão também era judeu, e seu nome era John Konig. John, de família húngara, imigrou para a Inglaterra com os pais em 1935. Em 1939 a família de John foi convidada a se retirar do país – ordem que a família não acatou. Eles poderiam não ser muito bem-vindos, mas, pelos menos, não foram deportados para um campo de concentração.

John mudou-se para a Inglaterra ainda garoto e completou os estudos em Londres. Aos 16 anos ingressou na faculdade, onde estudou e se formou engenheiro. Assim como eu, John sabia o que era ter perdas na sua vida; quando nos conhecemos, seus pais já tinham morrido: o pai de câncer de pulmão e a mãe, pouco tempo depois, de câncer de mama.

Uma parte da família de John havia imigrado para o Brasil em 1930 e, como ele estava sozinho na Inglaterra, seus parentes insistiam para que ele fosse se juntar a eles. Nós começamos a sair seis semanas antes de John ir para o Brasil – estávamos em setembro de 1951 –, pois quando nos conhecemos ele já estava com passagem comprada para iniciar sua vida em terras brasileiras.

Não foi simples para John conseguir seu visto brasileiro, justamente porque ele era judeu – na época, o governo brasileiro, presidido por Getúlio Vargas, tinha traços antissemitas. Um primo de John trabalhava no Instituto Biológico de Minas Gerais, e o governador do Estado naquele período era Juscelino Kubitschek. O primo explicou a Juscelino a situação, que deu um cartão com suas recomendações para que conseguissem o visto. Assim, seu primo seguiu para o Rio de Janeiro e procurou o tio de sua esposa, que era senador, para realizar a missão no Itamaraty.

Não foi simples para John conseguir seu visto brasileiro, justamente porque ele era judeu - na época, o governo brasileiro, presidido por Getúlio Vargas, tinha traços antissemitas.

Quando apresentaram o cartão no Itamaraty, o funcionário falou depois de alguns rodeios: “Olha, o visto dele não saiu ainda porque ele é judeu”. O primo de John ficou inconformado e disse: “Bem, eu sou judeu e trabalho para o governo no Instituto Biológico de Minas Gerais, então não entendo o que está acontecendo”. O funcionário ficou sem graça com aquela situação toda, dizendo que fora tudo apenas um grande equívoco e, sem ter mais como justificar, emitiu então o visto de John.

John não sabia desses trâmites e, se tivesse descoberto antes, disse que não teria vindo para o Brasil. Muitos judeus sofreram situações parecidas ao imigrar para o Brasil: o presidente Getúlio Vargas tinha posturas antissemitas e era simpatizante de Benito Mussolini, o ditador italiano aliado dos nazistas na Segunda Guerra Mundial, além do próprio Hitler. Nessa época, para conseguir entrar no Brasil ou os judeus pagavam alguma quantia ou eram batizados como católicos.

Nessa época, para conseguir entrar no Brasil ou os judeus pagavam alguma quantia ou eram batizados como católicos.

Como namorada de John, eu não poderia cruzar o Atlântico com ele para vir ao Brasil, e por isso o nosso namoro se deu por intermédio de cartas. Foram muitas e muitas cartas durante o período em que estivemos separados, cartas que são guardadas com carinho até hoje por mim e pelo John. Depois de um tempo de namoro, em abril de 1953, John manifestou em uma de suas cartas seu desejo de casamento. Eu gostava muito dele, mas fiquei um pouco receosa em relação à ideia de casar e montar uma família: que garantia eu teria de que não aconteceria com os meus filhos o mesmo que aconteceu comigo? Eu não poderia suportar viver novamente tudo aquilo.

Depois de superar o meu medo, decidi que era isso o que eu desejava fazer: eu queria me casar com John Konig. Para isso, eu necessitava também de um visto para o Brasil, afinal, John trabalhava no país, e era lá que iríamos começar a nossa nova vida como uma família. Foi preciso, então, que eu retornasse à Holanda para acertar minha saída oficialmente. Em Amsterdã, meu ex-tutor me informou que eu deveria me regularizar com o imposto de renda e que ele havia preparado um dossiê para meu caso, que não era fácil. Depois, fui ao Consulado do Brasil dar a entrada no meu visto, torcendo para que fosse admitida em pouco tempo.

Da primeira vez, não obtive sucesso. Então comprei uma bela caixa de chocolates para a secretária que, depois, me apresentou ao cônsul. Ele disse que poderia me ajudar, mas dependendo do caso poderia durar até seis meses para que o visto saísse, mas que trocaria o meu caso com um favor com o Tribunal de Haia e, assim, sairia mais rápido. O cônsul chegou até a me convidar para sair, proposta que recusei de pronto, mesmo sem deixar de ir atrás dele para saber do visto, que obtive depois de seis semanas. Agora eu estava livre para ir a um novo continente com meu futuro marido. No meu caso, fui orientada a não preencher a informação da religião nas papeladas do visto para evitar mais problemas.

Uma vez que conseguira o visto, era definitivo: eu ia me casar e começar uma nova vida em um lugar totalmente desconhecido para mim, onde eu não conhecia ninguém além do meu futuro marido e da família dele. Ao retornar para Londres, providenciei um vestido simples para o meu casamento, e John trouxe o véu de sua mãe – uma tradição familiar e, sendo assim, o véu passou a ser usado posteriormente por todas as noivas da família.

Eu e John nos casamos no cartório no final de julho de 1953, e o casamento na sinagoga foi realizado logo em seguida, no início de agosto. Eu fiz questão de pagar todas as despesas do meu casamento, decisão da qual me arrependo até hoje, pois meu tio queria me presentear com a cerimônia. Fui orgulhosa e não aceitei, pois não queria deixar que ninguém me ajudasse.

Quando coloquei o véu, prestes a entrar na sinagoga, minha tia me olhou, retirou seus brincos de pérola e os entregou a mim, dizendo: "Coloque isso aqui. Caso contrário, ninguém vai saber que tem uma noiva embaixo do véu". Quando entrei na sinagoga e vi que não havia ninguém da minha família imediata ali, por um momento passou um filme em minha mente de tudo que me havia acontecido, de tudo que eu havia perdido, das pessoas que eu amava e que não estavam ali para compartilhar tudo aquilo comigo. Fiquei em choque, e foi então que o mesmo pensamento voltou a me ocorrer: para que tudo isso? Para que montar uma família? Para perdê-la mais uma vez? No entanto, quando olhei para o John me esperando no bimá – um tipo de altar – vi que estava em boas mãos, sabia que eu poderia confiar nele.

Quando entrei na sinagoga e vi que não havia ninguém da minha família imediata ali, por um momento passou um filme em minha mente de tudo que me havia acontecido, de tudo que eu havia perdido, das pessoas que eu amava e que não estavam ali para compartilhar tudo aquilo comigo.

Foi muito triste celebrar o meu casamento sem a presença dos meus pais e do meu irmão. Eles faziam muita falta naquele momento tão importante da minha vida. No entanto, estava ansiosa para começar uma nova fase em um lugar totalmente novo, onde as lembranças de Bergen-Belsen ou da Segunda Guerra Mundial ficariam mais distantes.

Depois do casamento na Inglaterra, ainda retornei para a Holanda para dar uma festa para a família e os amigos que restavam lá e também para rever meus tutores. Também precisei ir mais uma vez ao Banco Central para retirar um documento necessário à minha imigração, que só consegui no último dia antes de irmos embora, poucos minutos antes de o banco fechar. Eu estava tão cheia de tudo que havia passado naquele banco, na Holanda, que, quando saí de lá com o documento que fora buscar, jurei para mim mesma que nunca mais voltaria ao país.

Depois das festividades do casamento na Holanda e de ter conseguido organizar todos os documentos, eu e John nos mudamos para o Brasil, ansiosos por uma nova vida em um novo país. Agora eu iria para um lugar onde eu não tinha ninguém além do meu marido e da família dele, mas que também era um lugar sem Westerbork, Bergen-Belsen ou qualquer uma das amargas e concretas lembranças da ocupação nazista.

Eu não cumpri a promessa de nunca mais pisar na Holanda. Oito anos após esse dia, eu retornaria para o meu país natal. Meu tutor ficou muito chateado com a minha ausência durante um longo período, e me disse: "Eu não tinha culpa de nada".

Nesse momento, percebi que ele tinha razão, pois eu não o tratei com o respeito que merecia: apesar de termos mantido contato através de cartas, demorei muito a visitá-lo.

Estar em um novo lugar significava ter uma nova vida. No entanto, as feridas dos anos de horror haviam me marcado para sempre, e não seria possível esquecer tudo o que havia acontecido – a intensidade da dor era algo que eu não poderia ignorar. A ausência da minha família seria sentida para sempre, e mesmo a família que eu iria construir não se livraria das cinzas do Holocausto. O Holocausto faz parte da minha história e por isso nunca será deixado para trás.

CAPÍTULO 10

O RECOMEÇO DA VIDA

A vida no período do pós-guerra na Europa não era nada simples. Um continente inteiro havia sido devastado pelas batalhas e estava tentando se restabelecer. E a reconstrução não se dava apenas nos edifícios e nas pontes que haviam sido destruídos, como na Holanda, mas também ocorria um reerguimento da vida cotidiana, uma vez que milhões de pessoas morreram em decorrência do conflito e as que sobreviveram tiveram o curso da vida alterado.

Eu e John buscávamos uma nova vida longe de todas as perdas que enfrentamos na Europa: eu havia sido nocauteada pelo Holocausto e John perdera seus pais para o câncer. Constituir nossa família na Europa seria ter sempre os nossos fantasmas por perto. Eu sabia que eles não se afastariam de mim, mas era certo alívio poder recomeçar em um lugar totalmente novo.

Quando chegamos à cidade de São Paulo, no Brasil, meu marido já tinha um emprego garantido em uma empresa. Quando deixei a Inglaterra também tive que me afastar do meu emprego no banco e, como a minha prioridade era a nova família que estava se formando, não planejava voltar a trabalhar tão cedo. Nossa história no Brasil representava realmente uma renovação: em junho de 1954 nasceria Elizabeth Helene, nossa primeira filha.

Quando você tem seu primeiro filho, é normal sentir-se insegura diante de um mundo tão novo, diante da enorme responsabilidade que passa a abarcar sua vida. Eu gostaria de estar perto da minha mãe nesse momento, para que ela pudesse me dar conselhos e me auxiliar na maternidade. No entanto, não seria possível, era preciso aprender sozinha.

Viver no Brasil não se mostrou muito fácil, pois o salário de John deveria sustentar nós três. Ele recebeu um convite para trabalhar em uma multinacional em Nova York, e nos mudamos em dezembro de 1956, decididos a tentar a vida na América do Norte. Nossa segunda filha, Judith Marion, nasceu nos Estados Unidos, em setembro de 1957, mas logo teríamos que nos mudar novamente por causa do trabalho do John. Em janeiro de 1959 fomos para a Argentina, onde moramos por um curto período de tempo, durante cinco meses.

A vida na Argentina tampouco era fácil. Poucos anos antes de chegarmos, em 1955, o então presidente Juan Domingo Perón havia sido deposto por um golpe militar e seguido para o exílio no Paraguai e, posteriormente, na Espanha. O país vivia uma intensa instabilidade política enquanto moramos lá. A política sempre influencia a vida das pessoas; a minha própria biografia era fruto dos rumos da política e da história. Ainda em 1959 retornamos ao Brasil, pois a empresa onde John trabalhava estava abrindo uma nova fábrica lá. Em 1962, nasceria nosso terceiro filho, Martin Joseph.

Retornamos à cidade de São Paulo e nos estabelecemos definitivamente no país. Logo me adaptei e comecei a aprender a língua. Lembro que, quando meus filhos eram pequenos e iam para a escola, achavam meu sotaque muito estranho, diziam que eu falava errado e então me pediam para não falar muito perto de seus amigos. Eu sempre lia o jornal e sublinhava palavras difíceis para posteriormente conversar com eles. Eu dizia: "Então, vocês sabem essa palavra, o que significa?". Como eram palavras mais complexas, eles não sabiam o significado – então nunca mais disseram que eu não sabia falar direito o português.

Depois que meus filhos nasceram, decidi que seria uma mãe em período integral para poder cuidar da educação deles. Assim, queria evitar também que achassem que faltava alguma coisa em nossa família. Eu sabia que um dia perceberiam que não havia a geração anterior à nossa.

E, como era previsto, isso aconteceu. Em dado momento as crianças vieram a perguntar: "Cadê todo mundo? Por que não temos avós como as outras crianças?". Tentei explicar o inexplicável, mas não foi satisfatório para eles, que ficaram muito traumatizados com a história da família – afinal, eram apenas crianças.

As tias do lado do meu marido e também as minhas tias da Inglaterra proporcionaram muito carinho para as crianças, no entanto, não eram seus avós. E, mesmo assim, quando íamos para a Inglaterra nas férias, eu não podia dizer nada sobre as dúvidas que estavam surgindo sobre a destruição de nossa família, já que meus tios optaram por nunca falar do período no campo de concentração e sobre nossas perdas.

Conforme foram crescendo, meus filhos leram algumas informações sobre o Holocausto. Eles não aprenderam nada sobre o tema na escola, era como se não tivesse existido esse período da história. Eles não estudaram em escolas judaicas, eu e John optamos por colocá-los em uma escola britânica. Essa era uma situação muito difícil para nós como família, e para eles, especialmente, porque eram crianças, mas tiveram de superar.

Meu marido viajava muito a trabalho, e por isso eu passava muito tempo com nossos filhos. A empresa em que ele trabalhava chegou a oferecer-lhe uma posição em Hong Kong, na China, mas ele não aceitou, pois queríamos dar uma educação estável para nossos filhos e não ficar mudando a todo momento.

John tinha uma boa posição na empresa, mas sempre tivemos que fazer uma boa gestão do dinheiro. Eu o ajudava a economizar, por exemplo, quando comemorávamos o aniversário dos nossos filhos: era eu quem preparava toda a organização da festa, desde o bolo até os jogos que deveriam divertir as crianças.

Apesar de ter uma vida feliz em família, eu nunca consegui esquecer o que havia passado nos anos de campo de concentração. Um sobrevivente começa a sofrer os traumas desde o momento em que ele deixa o campo. Minha alimentação foi alterada para sempre devido às privações em Bergen-Belsen: até hoje não posso comer massas, churrasco, pãezinhos e nenhum alimento em grande quantidade. Mais tarde, fiz uma cirurgia nos joelhos, e alguns médicos disseram que o problema que eu tinha era devido a uma má-formação de ossos acarretada pelo desenvolvimento inadequado em uma idade que é tão crucial para o crescimento de um ser humano.

Embora eu tenha sofrido bastante com as consequências que o campo causou no meu corpo, acredito que o pior mesmo sejam os traumas que carrego até hoje em minha alma. Não consigo me esquecer do horror que vivi e das perdas que sofri durante aqueles anos. É como se um filme passasse eternamente em minha cabeça, não me permitindo deixar para trás o que aconteceu.

Embora eu tenha sofrido bastante com as consequências que o campo causou no meu corpo, acredito que o pior mesmo sejam os traumas que carrego até hoje em minha alma.

Apesar de todas essas terríveis lembranças, fui forte o suficiente para sobreviver e seguir em frente, força que envolve superar todos os pesadelos e as angústias que guardo dentro de mim. Todos os sobreviventes do Holocausto guardam traumas dessas terríveis passagens da nossa vida, e cada um tem que lidar com seus próprios fantasmas. Eu nunca retornei a Bergen-Belsen, nunca conseguiria pisar novamente naquele lugar.

> Eu nunca retornei a Bergen--Belsen, nunca conseguiria pisar novamente naquele lugar.

Por isso me mantive ocupada, participando sempre ativamente da educação dos meus filhos e também administrando a casa enquanto meu marido trabalhava. Lembro que, quando as crianças eram pequenas, eu as acompanhava para todos os lugares: levava para as aulas de piano, natação ou quaisquer atividades que desejassem realizar. Quando eles estavam crescidos e, inclusive, eu já era avó, decidi realizar um desejo do meu pai e um sonho meu também: obter um diploma universitário. Meu pai sonhava que eu fizesse Direito, mas optei por cursar Economia.

Na década de 1980, ingressei na Pontifícia Universidade Católica de São Paulo para conseguir o diploma. Mesmo estando tanto tempo longe das salas de aula, estudei por um ano para ser aprovada no vestibular e conseguir acompanhar o curso, fato que comprova a qualidade da educação que tive no Liceu Judaico e na minha casa. Sempre tive orgulho da educação que eu e o John proporcionamos aos nossos filhos e certamente me inspirei nos ensinamentos que tive na casa dos meus pais. Eles podem ter sido tirados de mim quando eu ainda era muito nova, mas o seu legado, o seu caráter, eu sempre carregaria comigo.

Meus filhos conseguiram também viver bem apesar de guardarem muitas feridas. O Holocausto é algo que marca uma família inteira, não há como apagar algo assim. Meus filhos sofreram com isso, meus netos foram descobrindo os traumas da família e meus bisnetos eventualmente terão que lidar com isso, não há como evitar.

Quando achei que já havia sofrido o suficiente na minha vida e passado por todas as perdas que eu deveria enfrentar, o destino me colocou novamente em uma situação devastadora: em 2003 eu perdi um dos meus netos, que faleceu em uma avalanche no Canadá, onde ele morava com a família. A escola em que ele estudava levou os alunos para uma excursão e, de maneira totalmente irresponsável, foi permitido que os alunos seguissem para uma área extremamente perigosa. A escola foi para a excursão com quatorze alunos, entretanto, voltou com apenas sete em vida. Até hoje nada aconteceu com a escola, eles nunca foram punidos pela sua irresponsabilidade criminosa.

Quando achei que já havia sofrido o suficiente na minha vida e passado por todas as perdas que eu deveria enfrentar, o destino me colocou novamente em uma situação devastadora: em 2003 eu perdi um dos meus netos.

Essa foi uma situação muito difícil para a família, que ficou muito abalada. Ele era filho de minha filha do meio, Judith Marion, e tinha apenas quinze anos. Eu achava que não conseguiria suportar mais tanta dor em uma vida só e, para minha filha, a perda de seu filho foi devastadora.

Judith ficou muito abalada com a situação, e lembro que ela me perguntou: "Mãe, como a senhora conseguiu lidar com tudo na sua vida e ainda superar a sua dor?". Eu não sabia o que dizer, porque apenas superei o que tive de enfrentar de uma maneira particular. Quando fui libertada do campo, ninguém estava interessado em saber o que os sobreviventes do Holocausto haviam passado, o tema só começou a ser abordado posteriormente. Ainda assim, acredito que nem mesmo um psicólogo poderia ter me ajudado a compreender melhor os anos de campo de concentração. Afinal, como é possível compreender o incompreensível? Uma pessoa que não viveu os horrores de um campo de concentração não consegue imaginar o que significa isso.

Como é possível compreender o incompreensível? Uma pessoa que não viveu os horrores de um campo de concentração não consegue imaginar o que significa isso.

Resolvi começar a falar sobre o tema Holocausto quando eu já tinha mais de setenta anos. A primeira vez que falei foi em 1999, quando minha neta estava em uma faculdade em Michigan, nos Estados Unidos, e achou que poderia ser interessante eu contar a minha história. Depois disso, ainda demorei a realizar palestras constantemente; isso foi acontecendo aos poucos.

Um dos motivos que me levou a falar sobre tudo o que eu havia passado era o fato de que poucas pessoas sabiam o que havia acontecido com os judeus na Holanda. Havia até uma crença de que a Holanda tinha sido um "paraíso para os judeus", algo que todo o período de ocupação e as posteriores deportações demonstram ser exatamente o contrário.

O tema Holocausto é amplamente disseminado pelos sobreviventes da Polônia, pois a maior parte das mortes ocorreu lá. Das seis milhões de mortes documentadas, cerca de metade são de judeus poloneses. No entanto, ainda há outras vítimas que precisam ser ouvidas também, e por isso eu resolvi contar a minha história.

Em 2001, retornei à Holanda para me reunir com sobreviventes do Liceu Judaico em Amsterdã. Como eu, alguns sobreviventes haviam passado por campos de concentração, outros haviam conseguido se livrar da morte escapando dos nazistas. Nesta reunião encontrei Theo Coster que, em 2008, me convidou para retornar à Holanda, pois ele gostaria de produzir um documentário sobre a sua história e a de outros colegas de classe. Posteriormente, esse documentário se transformou em um livro, que foi publicado em português como *Os colegas de Anne Frank*. Nem todos aceitaram participar, pois não gostariam de voltar a falar do passado.

Durante essa viagem que realizamos para relembrar as velhas histórias e ajudar a compor o projeto de Theo, conversamos muito sobre nosso período no Liceu Judaico, na época em que éramos colegas de Anne Frank, além de também termos relatado nossas experiências pessoais no Holocausto. Muitas foram as perdas de todos nesse período terrível. Como parte do documentário, também visitamos o campo de transição de Westerbork com meu marido e Theo, e me surpreendi como haviam transformado aquela paisagem sem cor em um gramado verde onde as crianças andavam de bicicleta. O sorriso das crianças, no entanto, não substitui a angústia que eu e muitos judeus holandeses passamos por ali. A maioria dos que foram deportados não teve a oportunidade de retornar para uma visita, como é o caso de meus pais e do meu irmão.

Atualmente, ministro diversas palestras em escolas e faculdades em todo o Brasil, viajo muito com esse meu trabalho. As histórias que conto não são histórias bonitas, especialmente para mim. No entanto, eu continuo falando em nome daqueles que hoje não podem falar, em nome daqueles que perderam a vida de uma maneira tão brutal e incompreensível naquele período em que a doutrina nazista dominava a Europa.

Eu continuo falando em nome daqueles que hoje não podem falar, em nome daqueles que perderam a vida de uma maneira tão brutal e incompreensível naquele período em que a doutrina nazista dominava a Europa.

Eu gosto muito de realizar palestras, especialmente para os jovens, pois a Segunda Guerra Mundial, agora tão distante, é um período quase abstrato para eles. No entanto, não se passou nem um século desde que tudo isso aconteceu. Os jovens ficam impactados por ver alguém que passou por tudo que eu passei falando diante deles.

Nunca vou conseguir superar e aceitar tudo o que aconteceu comigo, mas vou permanecer falando até os últimos dias, para que ninguém jamais possa afirmar que isso não aconteceu, e para que o mundo não esqueça as dores que a intolerância pode causar. A minha vida eu dedico à minha luta, e assim eu farei até o fim.

EPÍLOGO

O Holocausto foi a causa do extermínio de mais de seis milhões de judeus – pessoas inocentes que, de uma hora para outra, passaram a ser vistas como criminosas e foram privadas de seus direitos. Entre essas vítimas encontra-se uma parte da minha família, que não pôde resistir às condições. Eu, por sorte, ou mesmo por um milagre, sobrevivi a tudo isso e pude construir uma nova realidade para mim. Não foi uma vida fácil, ao contrário, foi cheia de traumas e dificuldades que precisei enfrentar.

Apesar de todas as perdas que sofri em meu percurso – perder pessoas que eu amava, minha casa e todo o dinheiro da minha família –, encontrei formas de reconstruir a minha vida e encontrar o entusiasmo novamente. Foi preciso muita força para reconquistar a felicidade, mas eu nunca desisti de lutar, apesar das adversidades. Algumas pessoas, quando conhecem minha história, me perguntam se eu nunca fiquei deprimida, e eu respondo que não havia tempo para isso – afinal, era preciso sobreviver.

Algumas pessoas, quando conhecem minha história, me perguntam se eu nunca fiquei deprimida, e eu respondo que não havia tempo para isso - afinal, era preciso sobreviver.

Durante os três anos em que fiquei me recuperando no sanatório de Santpoort, na Holanda, eu estava muito debilitada e me perguntava se algum dia poderia ter uma vida normal novamente. Além disso, estava totalmente devastada pela perda da minha família e por estar sozinha no mundo. No entanto, nunca baixei a cabeça diante das situações e nunca deixei de batalhar pelo meu direito de viver um futuro que eu mesma escolhi.

Quando palestro para jovens, o que eu mais desejo passar para eles por meio da minha história é que devemos sempre olhar além das situações da vida. Nem sempre o que nos acontece vai ser agradável ou reconfortante e, no entanto, são esses desafios que nos fazem mais fortes e preparados para o amanhã. Quando acontece algo que vemos como ruim no nosso percurso, de nada adianta se render, é preciso lutar para se reerguer. Eu, por exemplo, passei anos privada de minha liberdade: elementos básicos de uma vida digna foram tirados de mim quando eu nem adulta era e, mesmo assim, pude amadurecer diante de tudo e seguir em frente.

Espero que, contando a minha trajetória nessas páginas, contribua para que o mundo não se esqueça do que aconteceu nesse período nefasto da história, e que toda a humanidade perceba que a coexistência é essencial para uma vida feliz e para o desenvolvimento da humanidade. Na Segunda Guerra Mundial fui eu, assim como tantos outros judeus, quem sofreu e, caso não seja tirada uma lição disso tudo, amanhã outras pessoas serão vítimas novamente. Eu não posso permitir que isso aconteça e por isso escrevo minha história em nome de todos aqueles que tiveram suas vozes caladas, incluindo meus pais e meu irmão.

Escrevo minha história em nome de todos aqueles que tiveram suas vozes caladas, incluindo meus pais e meu irmão.

Depois de passar tanto tempo enclausurada, meus valores mudaram. As coisas mais simples da vida, às quais antes eu não prestava atenção, passaram a significar muito para mim. Era uma questão de dignidade básica! Você já parou para pensar no privilégio que é ter uma família e um lar confortável? Possuir comida suficiente para não passar fome, uma toalha para se secar ou uma cama quente e confortável para dormir? Tudo isso na nossa vida nos parece básico e por isso muitas vezes não nos damos conta da sorte que temos. Por isso eu peço: seja feliz e seja grato por cada simples aspecto da sua vida, pois estar saudável ao lado de sua família já é algo a ser celebrado.

A partir do que vivi, constatei que um dos bens mais preciosos do ser humano é a liberdade: liberdade de ir e vir, liberdade de proferir suas crenças, liberdade de ser quem você é. Não há nada mais aprisionador para um ser humano do que proibi-lo de ser quem ele é. É essencial valorizarmos nossa identidade. Portanto, devemos lutar para que todos possam exercer a liberdade – aquela liberdade que não invade o espaço do outro, que não anula o outro – para que todos possam ser livres e felizes também.

Um dia me disseram que eu era inferior por ser judia, mas eu nunca acreditei nisso. Assim como fizeram com os judeus, os nazistas impuseram sua superioridade sobre diferentes grupos, como ciganos, homossexuais, deficientes físicos e outras minorias que eles acreditavam não se comparar à sua pureza racial. Nunca acreditei na superioridade de nenhum ser humano diante do outro, pois, tirando os aspectos culturais e de vida, temos todos a mesma essência. E é por isso que não quero que ninguém se considere inferior, para que nunca tenha que se submeter ao desejo de poder do outro, para que nunca perca sua liberdade.

Nunca acreditei na superioridade de nenhum ser humano diante do outro, pois, tirando os aspectos culturais e de vida, temos todos a mesma essência.

Escrevo este livro em prol da liberdade e da tolerância.

Portanto, escrevo este livro em prol da liberdade e da tolerância. E também o faço em memória e em dedicação aos meus pais e ao meu irmão, pois sei a injustiça que causou a morte deles e sei também que, se eles tivessem aqui no meu lugar, fariam o mesmo. Por um acaso do destino, sou eu quem está aqui hoje, e jamais deixarei que o legado deles e de todas as vítimas do Holocausto seja apagado. Com este relato, quero dar voz àqueles que não mais a possuem para contar suas histórias de sofrimento.

Infelizmente, apesar de gritarmos constantemente "nunca mais", a história do homem se dá até hoje pelas guerras – guerras sem justificativa, nas quais se esquece o valor da vida. E é por isso que o Holocausto é um acontecimento tão atual, que deve ser lembrado eternamente.

Já faz mais de setenta anos desde que fui libertada de Bergen-Belsen e pude deixar aquele campo de horror e, no entanto, lembro tudo que eu sofri naquela prisão como se fosse hoje. Para que essas experiências não aconteçam com mais ninguém, deixo a minha história registrada para o mundo. Espero que todos os jovens e todas as pessoas possam desfrutar de uma vida feliz, sempre exercitando a tolerância e o respeito ao outro.